沙鐘屋

1939

THE TURNGLASS

蓋若斯・魯本 Gareth Rubin 著
吳妍儀 譯

獻給漢娜

對倒　Tête-bêche（名詞）

一本書分成兩個部分，印刷時彼此背對背、上下相反。

詞源：法國文學。「頭對著腳」。

在十八世紀，出版商經常把兩本書背靠背印在一起，彼此上下顛倒。他們稱呼這種獨特的作品為對倒小說。它們讀起來很奇特，然現代藏書家可能會發現這樣讓人感到不自在：讀完一個故事，然後把書翻轉過來，從另一個方向讀另一個故事——結果卻發現他們本來自以為知道的事情，其實是顛倒是非。

——《小說新史》，G·布魯斯威克，普林斯頓大學出版社，一九二二年

那是報曉的雲雀，
不是夜鶯：瞧，愛人，不作美的晨曦
已經在東天的雲朵上鑲起了金線：
夜晚的星光已經燒盡，愉快的白晝
躡足踏上了迷霧的山巔。
我必須到別處去找尋生路，或者留在這兒束手等死。

羅密歐，《羅密歐與茱麗葉》，第三幕第五景（朱生豪譯）

第一章

洛杉磯，一九三九

肯·庫里安的眼睛，就像乾渴的草一樣是淺綠色，俯視著他眼前沾了咖啡漬的書頁。那頁面聞起來也有強烈的咖啡味，就好像某人不只剛把他的飲料潑在上面，還把它放在杯子裡泡了十二或十四小時。

「這叫做《唐維爾圍城》（*The Siege of Downville*）。」

「我知道，而且我——」肯開口說道。

「你是個剛從戰爭中回來的士兵。」

「哪個？」

「什麼？」

「哪個戰爭？世界大戰還是——」

「內戰。他媽的內戰。」

「好。我是南軍還是——」

「北佬！你要試的角色是個北佬。你想……聽著，孩子，你要來唸這些台詞，還是要我替你唸？」

這是他好幾個月以來得到最好的機會，房間外面還有人在排隊，所以他裝出北佬口音讀了台詞。這些句子講的是受了傷，還有需要在死前再見他愛人最後一面之類的事。在他看來這些台詞寫得很糟，不過他不想驟下判斷，因為他從沒演過電影，甚至連他的舞台經驗都只限於大學時代，還有在波士頓附近演過幾年的二流戲碼。

「你從哪來的？」桌子後面的過重男子質問道，同時瞪著他，就好像他前額上應該有個行李吊牌似的。

「喬治亞。」

「喬治亞！」他隔著緊繃的襯衫扣子抓抓他的上腹部。「那他們到底見了什麼鬼，為什麼推你出來試一個北佬角色？為什麼不是來自南方的蓄奴狗雜種？」

「我不懂。」肯說道。他凝視著劇本。

「我也不懂。」這個男人，助理製片，把一根菸屁股扔到旁邊的一桶水裡，它在那裡漂浮著，滲出一條棕色痕跡。「聽著，小子，今天你不走運。下次再回來吧。」

「我肯定會。」肯這麼回覆。而且他真的會。他不是對悲觀主義低頭的人，因為肯．庫里安二十六歲，悲觀主義還沒有像溼氣那樣滲透進來。

還在喬治亞州的孩提時代，他曾經看著遠方的藍嶺山脈，想像是它們把他跟希臘戰爭，還有遨遊四海的旅程隔絕開來。然後，隨著他的成長，他開始把它們看成某種障礙，擋在一種還朦朧不明的「更豐富的人生」前面。所以他以家族中第一個大學生的身分出發踏上旅程；而現在，就像是一場為時五年的宿醉，他正在付出代價，還錢給他父母與兩間銀行，一次償還幾塊錢。

他拿起他的帽子，祝這部電影好運，然後穿過片場離開，手中還拿著那份爛劇本。兩個男人臉上黏著跟家貓一樣大的鬍鬚，穿著北軍的制服走過去。肯不確定要羨慕還是憐憫他們演到這部片。

片場外面，一輛路面電車正沿著馬路前進，肯跳上車，希望它是朝著海灘去的。就算在這城市裡過了好幾個月，他對於洛杉磯與好萊塢地[1]的地理了解，用一張撲克牌就能畫完了。在他的家鄉，榆樹比人還多，榆樹不會橫衝直撞，急著趕去這邊然後又被叫到那邊，途中在人行道上撞上你。當然，他也曾在波士頓待過八年——上大學，做點家教，也演一點戲——不過他的腳仍舊渴望著足底有條鋪著柔軟樹葉的小徑。然而在加州，潮溼的沙子也能充數。

「這是朝海灘去的嗎？」他問車掌。

「什麼？」

「海灘。」

「老弟，海灘是在另一個方向的十哩外。你想要海灘，就下這輛車去搭反方向的。搭個八站，再換另一輛。」

這聽起來太複雜了。「這一輛去哪？」

「這一輛？你以為它要去哪？鬧區啊。沿著日落大道。所以，你想去鬧區還是想去海灘？」一個座位上的女人拿出五塊錢買票，堅持車長收下。「我找不開啊，姐妹。車資只有一

1 目前大家熟知的好萊塢（Hollywood）告示牌是當地房地產商人在一九二三年樹立的，本來寫的是「好萊塢地」（Hollywoodland），一九四九年才把最後四個字母拿掉。

角。」

「喔，你應該在我上車前說啊。」她氣呼呼地回答。

「在妳上車前？我怎麼辦得到？那時我在車裡啊，不是在街上，不在妳旁邊。現在妳到底有沒有零錢？」

「我會去鬧區。」肯告訴他。

「鬧區十分錢。而且給我五塊我找不開。」

他付錢搭了車。

他搭了大約十分鐘，注視著乘客們上上下下，設法弄清楚他們是什麼人，他們是在電影業工作，還是補鞋匠、會計師、碼頭工人或股票經紀人，這時他瞥見一片無窮無盡的樹脊。

「那是什麼？」他問車長。

「那個？你不會在乎那是什麼。你要去鬧區。」

「我想知道那是什麼。」

車長不滿地咕噥。「那是樂土公園[2]。別靠近那裡。」

「為什麼？」

「充滿了來自林肯高地[3]的黑鬼。會拿走你的皮夾，就算你客客氣氣問也不還回來。」

「喔，」他說道。他爸雇用有色[4]勞工跟白人勞工一起在農場上工作，付一樣的薪水，但是肯已經放棄設法對他的高中同學宣傳這套系統的福音，當他在他們面前說明這個觀念時，他們只瞪著他，接著大笑出來。在大學裡，有幾個人對這個觀念會意地點點頭，然後說是啊，這當然是未來趨勢，但接著就去雇用黑人管家，只給他們粉白皮膚男性管家的三分之二時價，讓肯真心希望他先前沒白費唇舌。「無論如何我都想去那裡。」

「隨你怎麼說都行，小伙子。」

然後肯．庫里安，尖下巴，六呎一吋高，有健康農村男孩的肌肉與波士頓大學的文學學位，就從路面電車上跳下來，朝著那一排榆樹信步走去。

在一個熱到足以融化汽車車胎的日子，公園很涼爽又綠意蒼翠。草與蕨類在他腳下的感覺，就像藥局賣的鎮痛軟膏一樣舒緩了他的腳。無論是什麼讓那雙腳發痛，讓腳踵在他僵硬的新漆皮鞋裡感覺刺刺的，此時都消失了，而他簡直可以光著腳步行穿過灌木叢。

那裡有多少樹木？一萬棵？十萬棵？肯很欣賞那片樹蔭，在挫折的幾小時後他很需要冷卻一下。先前在片場門口有人告訴他，派拉蒙在為一部新史詩片選角。如果他送上他的名字，他或許可以試鏡一個小角色。那會是「集體試鏡」，聽起來不太妙，不過會比直接被攆走來得好。

「喔，我在農場上工作過。」他說道。

---

2 樂土公園（Elysian Park）是洛杉磯最古老的公園，在一八八六年建立，面積有二點四平方公里。

3 林肯高地（Lincoln Heights）是洛杉磯最古老的社區，人口稠密。

4 有色（colored）是十九世紀晚期到二十世紀前半，美國各州的種族隔離法律還通用時，對於美國黑人或黑白混血者較「中性」而進步的稱呼；偶爾也會用來指涉其他少數族裔。在一九七〇年代以後這種說法反而變得不禮貌，逐漸不再使用。

「那你會覺得如魚得水。」

他沒拿到那份工作。當然，這令人失望，不過會有其他機會的。他們說每年電影規模都變得更大。更大的電影需要更多的角色。他會撐過去的，同時他還有個替《洛杉磯時報》撰寫廣告的工作，那就夠付他不怎麼高的房租了。而他的計畫是，在報社的娛樂部門附近閒晃，聽到發展中新片的消息，這樣他可以及早跑到片場去，要求試鏡。是啊，也許這樣會有用。

他走路穿過星期四下午的熱氣。樹上的鳥兒激起一陣喧鬧，然後才大批成群起飛，尋找食物、飲水，或者一隻鳥在加州的炎熱日子裡會想要的任何其他玩意。他很納悶他自己的下午計畫是什麼。繼續走，直到他偶然闖進那個城鎮本身，還是跳回路面電車上，回到他在雜貨店旁邊的住宿處？他總懷疑那家雜貨店在後門偷賣家釀私酒。他先前玩味過這個念頭：找個時間自己造訪那裡，看看菜單上到底有什麼。

而他只是繼續走。

等到他再度抬頭，他已經直接穿過公園到了另一邊，馬路上的噪音在他周圍擦過，就像蚊子似的。他想過要轉身，再度忘我地徜徉在樹林間，不過他很渴，路旁有間餐館的霓虹燈正在朝他招手。

肯邊步進去，發現自己闖進了較晚的午餐人潮中間，而這個地方受歡迎的程度，使這裡只剩下單單一張桌子。那是在一個角落包廂座，那裡的假皮是一種深金色，可能來自一間距離最近一隻乳牛有一千哩遠的工廠。他走過去，不過當他靠近的時候，他看到有個女孩已經在那裡了。她坐在靠牆的位置，在視線範圍之外。她看起來像是一直試圖保持低調。肯停了下來。女孩抬起兩隻深棕色的眼睛，期待地看著他。

「我可以坐在這裡嗎？」他問道。

「當然。」她說得很緩慢，就好像她可能會半途改變心意。

他點頭致謝，然後落座。她在啜飲白咖啡，同時瀏覽一本講有聲電影的雜誌。她很苗條，有張俏麗的嘴，看起來像是縮起來避開一杯太燙的飲料，而且包著一條奶油色的女用頭巾，穿著奶油色的上衣跟緊身的奶油色長褲。肯伸手過去拿擺在桌子邊緣一個玻璃罐裡的菜單。

「桃子派是這裡的招牌菜。」沒等他問，她就告訴他。

「那表示好吃嗎？」

「就只表示它是招牌菜。」

一位女侍出現在他旁邊，她的點菜本已經準備好了。「我要來一份桃子派，」他告訴她。

「我聽說那是招牌菜。」

「它當然是，」她嘟噥著寫下。「還要別的嗎？」

「不用。」

她用她的鉛筆頭指著對面的女孩。「你付她的帳單嗎？」

奶油色女孩迎向他的凝視。她眼中有某樣東西在說，如果他不付，就沒有人會付了。

「好。」他說。

「我希望這樣值得。」女侍說著就走開了。

肯跟那女孩盯著彼此幾秒鐘。「多謝。」她說道。

「沒什麼，不用提。」

「但我非提不可，不是嗎？我是說，你剛才救了我，讓我不必丟下另一筆帳單不付。我想這是洛杉磯最後一個我還沒賒欠過的地方。」

「我剛到這裡八週。我幾乎沒賒欠過。」

她的臉亮了起來。「喔，這麼做是最棒的！」她堅決主張。「你知道，這是稀缺資源的重新分配。」

「沒付一頓午餐錢就是重新分配稀缺資源？」

「我聽說是這樣。告訴我的人是個……」她無聲地用嘴型唸出最後一個單詞：共產黨員。肯在大學時遇見過一兩個。他們是非常嚴肅的年輕人，一心一意要留鬍子跟談論蘇維埃奇蹟。他們不是什麼良伴。

「他也賒帳嗎？」他問道。

「不，他有家族裡的錢。」對話暫時停息了，似乎沒有容易的回應方式，所以肯從他外套裡抽出現在毫無用處的《唐維爾圍城》劇本，把它放在桌上。她低頭看著它，咧嘴笑了。「你是個演員！」

「算是吧。」有一陣短暫的停頓，而他想她正在猜測真相。「我剛去試鏡。」

「你有拿到角色嗎？」

「可能沒有。」

她坐回去，一種沾沾自喜的表情擠掉了她臉上的其他表情。「你需要認識大人物。跟他們有社交上的認識。那樣你才能出人頭地。」

那種「我有內線，你沒有」的微妙語調刺激了他，特別是因為他正在為她的咖啡付錢。但在他待在洛杉磯的短暫時間裡，他開始理解到，這是對陌生人講話時的預設位置——一種聲望上的決鬥，像是兩隻街貓在一只垃圾桶旁邊相會，為桶子裡的內容打架。

「顯然如此。」他說。

「你想這麼做嗎？」

「我……」

「我可以做到。我可以。」她往前靠，匆匆說下去。「我明天要去一場海灘派對。那是在奧立佛．圖克家。」她等待著反應。「就是那個作家啊？」

說實話，肯對那個名字有個很模糊的印象，但他還不想冒險表達意見。「嗯。」他說道，沒有表態。

「至少，我預期他明天會開派對。大多數日子他都會這麼做。我會是你的入場券。」

奧立佛．圖克。奧立佛．圖克。喔，對。對，現在他想起來在廣播裡聽過那個名字，一個書評節目。但他無法回想起那本書是在講什麼，或者主持人提出的是什麼意見。「所以妳認識他？」

「我見過他。」她驕傲地說道。

「常常嗎？」

「我們是在一間夜總會認識的。」

友誼在這個城市裡很廉價。他俯視著劇本。底下有麵包屑。「我會去。」他說道。

「我的名字是葛羅莉亞。」

「我是肯。」

第二章

第二天早上，他在葛羅莉亞的公寓外面跟她碰面。她懷裡有個包袱，裡面裝著一條毛巾跟泳衣，用絲帶綁了起來。她穿著一件海綠色的長罩袍，還有相同色調的上衣跟寬長褲。單色調整體搭配就是她的造型。

「所以別人總是記得妳？」肯指著她的打扮，這麼猜測。

「你應該試試看。為了你的職涯，你需要有個造型。」

這個念頭雖然令人痛苦，但他懷疑將來的某一刻，他是不是真的必須有個「造型」。如果他可以替自己定型——也許他可以利用他的小鎮背景，讓自己看起來像那些鄉巴佬角色——這會是個敲門磚。他不會宣稱他爺爺是個切洛基印地安人，不過如果有個角色是給喬治亞州農場男孩的，他會快樂地穿著牛仔靴出現，並把他的母音拉長到足以填滿整個句子裡的所有空隙。這樣可能有效，只要他們忽略他的大學教育，還有對上世紀英國文學的愛。

「派對往哪走？」

「奧立佛家後面的海灘，」她說道。現在就直呼「奧立佛」了。「天哪，那個地方讓我多陶醉啊！那是在海岸上，所以我們要搭計程車去。」

他把自己那包毛巾與短泳褲夾在腋下，然後摸著他的錢包。裡面有很多空間。「來回最好少於五塊錢，不然我們就要走回家了。」他告訴她。

「別擔心回程的事，」葛羅莉亞這麼教他：「會有人載我們一程。他們總是這樣。」她對著一輛駛過的計程車揮手，它停下得非常突然，讓後面的車子必須猛然轉向隔壁車道。那輛車的駕駛猛按喇叭。「杜姆角。」他們跳進車裡以後，葛羅莉亞這麼告訴那計程車司機。

「所以，他是怎麼樣的人？」肯問道。

「奧立佛嗎？」

「是啊，奧立佛。」

她考量了一下。「他很虛偽，」他們進入車流中的時候，她說道：「我不喜歡他。」她說奧立佛虛偽，有某種程度上的反諷性。「如何虛偽？」

「喔，他說了某些事情，但你知道他指的是別的事情。那種虛偽。」

「喔，那種虛偽啊。」

⏳

四十分鐘後，司機下了海岸公路，走了一條窄到甚至不會印在地圖上的路。那條路通往一塊刺向太平洋的岬角土地。叫做杜姆角的這個海角，像隻弓起身子的蜥蜴那樣隆起，而它的表面上也有某種爬蟲類似的東西：綠色、有鱗片，而且是肉食性的。如果你站在那裡，盯著隱藏了更多利鹵造物的波浪，文明肯定看似在你背後很遠的地方。

在海角上只有一個有生命的樣本：一棟三層樓的房子，從它的外觀來看，是在世紀之交建立的。它座落在一個低矮的懸崖上，不過真正讓它與眾不同的是，它看來幾乎完全以玻璃構成。外牆是玻璃，內牆也是玻璃。門是玻璃做的，用幾條木頭框住。你可以從公路上走過去，然後視線直接穿過它，盯著外面的海洋。只有上層的煙燻窗玻璃讓你不至於也徹底看透那裡。在屋子頂端有個風向標，幾乎是用玻璃做成，形狀是一個沙漏。它在一陣微風中扭動，就好像在指路，而那條路一直改變。那棟建築是個不尋常的景象，但不知怎麼地也顯得錯謬，肯這麼想。它的特徵裡就是有某種不對勁。

「所以這就是現代建築。」肯說道。

「什麼？不，這是奧立佛的房子，」葛羅莉亞回答。對於那句話，他實在想不出什麼可以回答的。她瞪著他看了一會。「你不會說任何蠢話讓我尷尬，對吧？我們在講的是奧立佛．圖克。這裡會有製作人，還有導演。」

「我會試著別說。」事情變得相當明顯了：他們合不來。起初，他有些粗略的想法是她會變成他女友，而她是個吸引人的女孩，不過他們想法不同。在前門旁邊有個電鈴，上面掛著這片地產的鋼製名牌：沙鐘屋。「我們要按這個門鈴嗎？」肯問道。

「不，他們全都會在海灘上。」

她領著他走到後面。繞過建築物，這裡的泥土變得更加乾燥；他們來到一處花園，裡面有一道寬廣的斜坡，往下通往這棟房子的私人海灘，形狀像個虧缺的月亮。肯很習慣敞開的地平線，他長大時在這樣的地平線前方露營，但他從來沒有住過海邊，甚至在波士頓也沒有。海移動起伏，隆隆作響，無論是否有任何人在聆聽。他理解到為什麼某些人永遠無法讓自己離開大海。

海灘生氣蓬勃，周圍有大約三十個穿著泳裝的年輕人：某些人在海灘椅上，其他人在碎浪裡，到處噴濺著水花。這幕場景的配樂，來自一個火熱演奏中的爵士四重奏。

「你能看到他嗎？」葛羅莉亞問道。

「我不知道他看起來像什麼樣。」

「喔不，我猜你是不知道。」那裡有個飲料站，穿著天藍色制服的服務人員在那裡分發雞尾酒跟水果。看起來像是任何人都可以進來拿酒。她在這個場景中搜索著。「他在哪裡？」她截住一個穿著粉紅色兩件式泳衣走過去的女孩。「奧立佛在哪？」

「喔，蜜糖，我醉得好厲害，我都不知道我在哪裡呢。」那女孩嘟囔著。

肯把這當成一種邀請，悄悄溜向飲料桌。「這裡每個人都喝什麼？」他問酒保。

「每個人都喝湯姆．柯林斯[5]，先生。」

「那我就來一杯湯姆．柯林斯。」酒保把飲料交給他。「我們的東道主在哪裡？」男人指向大海。一百碼外，肯可以分辨出海浪裡有某樣東西。那是個奇異的景象：水裡有個塗成白色的結構體，蓋得像座燈塔，座落在一塊從海裡往上戳的岩石上。它看起來有幾碼寬，高度略多於寬度。他往後察看。葛羅莉亞把自己混入了一群尖聲大笑的年輕人團體裡。加入他們的念頭並不吸引他。不過他們缺席的屋主，奧立佛．圖克，聽起來像個值得一見的男人。所以肯把自己關進一間更衣小木屋，一分鐘後穿著條紋泳褲現身。

「肯！」葛羅莉亞在他背後喊道，不過他假裝沒聽見，一頭衝向浪花。他家鄉附近有夠多河流與小溪，足以讓他成為一位游泳好手，而他加足馬力穿過波浪，享受著鹽對他眼睛與嘴巴的刺激，還有運用他身上肌肉的機會，這些肌肉在洛杉磯都變得衰弱了。這是個美麗的日子，這是一段美麗的海岸線。在他游泳時，他幾乎迷失在自己的夢境裡，直到那個離岸潮抓住他的那一秒為止。

他游進它掌握中的那一刻，他感覺到漏斗狀的水高速拖著他，直接把他拉到外海去。那潮流比一頭公牛還強勁，但他用盡全力設法跟海灘平行游動，過程中還一直被空曠的海洋吸過去，而在盡他所能奮力游了二十碼之後，他感覺到海潮突然間回歸正常了。他踩著水，設法讓自己喘過氣來，直到一種機械式的嗡嗡聲讓他抬頭看為止，而他看到一艘紅色快艇朝正在接近他。舵手穿著跟酒水服務人員一樣的制服。在船漂近他的時候引擎停了下來，他抓住旁邊的短梯，把自己拉上去。

「離岸潮，先生，」年輕的舵手說道：「毫無預警，說來就來。非常危險。您要去寫作塔嗎？」

肯瞥了一眼那座迷你燈塔。「我猜是這樣。」

年輕人把控制桿往前推，他們啟程航向上了白漆的建築物。在他們靠近它的時候，肯看到一個男人站在狹窄的門前，靠著門框，雙手插在白色休閒褲口袋裡。他高而苗條，有著狹長的五官與滑順服貼的黑髮。他不會贏得任何選美比賽，但不知怎麼地你就是會一直記得他。

在船靠近時，舵手拋給那年輕男子一條繩索。那裡有個小小的直式碼頭，不超過一碼寬。肯踏了上去。

靠近了看，他就可以看出那棟建築物大致上是方形，用立方石塊建成，大約十二呎寬，

5 湯姆．柯林斯（Tom Collins）是一種用琴酒、檸檬汁、糖跟氣泡水調成的調酒，通常裝在柯林斯杯（就是圓筒狀的長酒杯）裡。

二十呎高——比起從海岸上看到的樣子更大一點點。它的基部並不平均，攀爬在巨大的暗色岩石上，而在頂端周圍有一圈窗戶，讓它看起來甚至更像是一座被時間壓縮的燈塔。

「你好啊。」穿著白長褲的男人說道。他似乎對來訪者一點都不驚訝。

「嗨。」肯把他的頭髮往後抹，從中壓出一些海水。

「請進來。」

「謝謝你。」

雖然進去的時候沒有任何預想，肯踏進這狹窄的建築物時還是很驚訝。這裡不是燈塔，而是個縮水的圖書室，有點像他大學裡的那一間，當時他在那裡鑽研古老的小說。帶著灰塵的光矛透過上面有細細一層鹽的窗戶上往下炸開，照亮了一千本書，它們緊緊攀附著書架，就好像很怕水似的。

「這真了不起。」肯說道。

「這個？」聽起來這男人覺得很驚訝，然後他凝視著四周，就好像他才剛剛領悟到這個地方的奇特性。「我想是吧。」他伸出一隻手。那隻手的小指上有個白色圖章戒指。「我祖父蓋的——連同那棟房子一起——不過我把它據為己有。我是奧立佛．圖克。」

「肯．庫里安。」他說道，同時握了那隻手。那隻手摸起來很涼，就好像這男人的血液溫度比每個人都低了半度。

奧立佛的額頭微皺。「庫里安，那是個意第緒人姓氏嗎？」

「亞美尼亞。」

「亞美尼亞？」皺紋加深了。「K'ez dur e galis im tuny?[6]」他的表情說著，他希望他的發音正確。

肯笑出來。「先生，那很了不起。我以前從沒遇過任何人講那個語言的任何一個字。」

「我認識一兩個亞美尼亞人。」奧立佛說，似乎在解釋為什麼他能說這一句。

「唔，既然你問起這棟房子……」肯轉身面對那棟玻璃建築，它像鳥一樣坐在低矮的懸崖上。「它很……」他遲疑了。

「……怪誕？」奧立佛這麼建議。這男人很直接，這點毫無疑問。

「我不會那樣說。」

「不會嗎？」奧立佛靠在書櫃上。他的語調輕快，就好像他對這個主題已經考慮過很多，而且在很久以前就已達到結論。「你不會說它就是有某種醜陋之處嗎？」

「醜陋？」

「我一直都這麼想。」

「怎麼說？」

「喔，它就是有某種腐敗之處。邪惡。」他這麼說，好像只是在細說這棟房子是哪年蓋的。肯很好奇。先不論精確性——對於這棟建築物，這不是個不精確的評估——對於一棟家族住宅，這是個奇特的反應。一棟房子本身可以是腐敗的嗎？唔，或許是可以。奧立佛改變了話題，下巴朝著門口一撇。「你是跟其他人一起來的嗎？」

---

6 翻譯：「你喜歡我家嗎？」

「葛羅莉亞。」肯告訴他。

「喔，總是穿著單一色調的女孩？」

「就是她。」

「我跟她交談過兩次。也許三次，我忘記了。」不過肯有種感覺，奧立佛．圖克清楚知道他跟任何人交談過幾次，或許甚至可以逐字覆述每次對話。一個短暫的停頓。「你想要瀏覽這些書嗎？」

他必定讀出肯的心意了。「想。別人的讀書習慣總是讓我著迷。」

「我也是。」奧立佛坐在一張火紅色的皮革船長椅上，那張椅子正擺在一個胡桃木寫字桌櫥櫃前面。房間另一側的邊緣有張法式躺椅。肯繞了房間一圈，他的食指在整批藏書上游走。書籍主題包羅萬象，從外科技術、法國詩歌到烹飪都有。肯納悶地想，除了它們的主人看似如飢似渴的廣泛好奇心以外，是否有任何東西把它們全都串連在一起。也許同時對所有事情都感興趣並不健康。「你認為我們為什麼會著迷於那種事？」奧立佛問道。

「比起某人在哪裡度假、或者他們在選票上勾哪個格子，我猜你會從他們讀的書上得知更多關於他們的事。」

奧立佛看起來像是同意的樣子。「你來自南方，不是嗎？」

「喬治亞。」肯自覺忸怩起來。對於某些類型的人來說，南方並不總是這麼受歡迎。

「好。不過大學也是。」

「對。」

「哪裡？」

「波士頓。」

「不是在劍橋[7]？」

「不，在波士頓。」

「我很高興，肯。我見過一些哈佛畢業的男人。一些我生平見過最笨的人。」

「我也發現了。」又一陣停頓，肯往回瞥向四壁的書。

「你認為我們就要再度邁向戰爭了嗎？」奧立佛問道，態度極為嚴肅。話題又跳了一次。然而肯確定這不是裝腔作勢；這個男人的心思，真的就是從一個主題火速跳到下個主題。

「跟德國？希特勒似乎瘋了，但另一場戰爭？我不知道。」

「狂人製造新聞。別忽略他。」

「我不會的。」

「某些人會，」奧立佛說道。聽起來像是他心裡想到了某個人。接著又是另一個話題。

「你剛到洛杉磯，不是嗎？你想演電影？」

唔，既然現在街頭有一半的人希望在聯美[8]的下個製作裡得到幾句台詞，這是個常見的問

---

7 這裡講的是麻薩諸塞州的劍橋，哈佛大學所在地。

8 聯美（United Artists，又譯聯藝）是在一九一九年由當時的紅星瑪麗・畢克馥（Mary Pickford）、卓別林（Charlie Chaplin）、范朋克（Douglas Fairbanks）與名導演大衛・格里菲斯（David Griffith）合資創辦的獨立電影公司，期待藉此掌握更多藝術與經濟主導權；一九三〇年代是該公司最興盛的時期，一九六七年被泛美公司收購，一九八一年又被米高梅收購。

題。「就像餐館裡坐在你旁邊的每個鄉巴佬一樣。」

「可能吧。我猜你需要某種突出之處。」

「像是總是穿單一顏色的衣服。」

「就是那類的事情。」

肯看了那張寫字桌櫥櫃一眼。他的東道主在寫某樣東西。有個打字機，上面有張凸出來的紙，一句話懸在半路上。「我打擾到你了嗎？」他指向打字機，頂端用哥德鍍金字體醒目的印著「雷明頓」，在那下面是「美國紐約伊利昂製造」。不過在他瞥向它的時候，他看到裡面那張紙不是劇本或小說，而是一封信。寫給某間修道院的。

奧立佛伸手過去抽掉那張紙，讓它正面朝下擺在桌上。「抱歉，夥伴，那是私人信件。」他說。

「當然。」肯很尷尬，就像是手塞在餅乾罐裡卻被逮個正著。「我應該回去，讓你回到工作上了。」

「你真好。我的船會帶你過去，如果你這次不想用游的。」他露出一點點微笑，不過氣氛變得比較冷淡了。

「多謝。」他們走向那個小碼頭。

「不過你會再回來，對嗎？我下星期一會開一場派對。在晚上。」

那天晚上，肯回到他的租屋處，他跟另外六位住客，還有一位儘管至少六十歲了、早午晚仍永遠頂著完美妝容的寡居法國房東分享這個地方。

幸好這棟建築物位於加州，因為破裂的窗戶、受損的牆壁與洞穿天花板的關係，他的房間有七八個地方暴露在開放的空氣中。他也是在那裡進食，用的是一只錫盤跟一把有固定鎖的老舊童軍刀，他會在用餐後清潔乾淨，收進他的皮箱裡。

疲倦地進屋以後，他噗通一聲仰倒在床上，手指交叉扣在腦後。他離開時忘了跟葛羅莉亞告別，所以他第二天會上門去找她道歉——畢竟先前是她邀他去那個派對。而且那是個有意思的下午。

在短暫小睡之後，他的平靜被隔壁房間的暴力聲響給打斷了。他的鄰居是一對來自蒙特婁的夫婦，用法文對彼此無情地吼叫，或者企圖透過他們摧枯拉朽的床上運動來互相殺害，兩者輪流。

而他們那天晚上提早開始了。他花了點時間弄清楚他們激烈進行的是兩種嗜好裡的哪一個。他很高興聽到那是憤怒的尖叫，並且決定隨他們去，他下樓去了晚間用來抽菸的交誼廳。房東太太在那裡整理環境。她對著肯露出溫暖的微笑。

「晚安，庫里安先生。」

「晚安，佩許夫人。」

「你跟一位年輕女士出去嗎？」她的英語很完美，但口音很重，他懷疑她是刻意如此。她從上個世紀就待在洛杉磯了。

「妳怎麼知道？」

她明顯地做了個吸氣的動作，吸收了一股香味。「Fleurs de Paris（巴黎之花），」她說：「一種不貴的香水。」

他笑出聲來。所以到頭來，他還是沾染到一點點的葛羅莉亞。「沒有任何事瞞得過妳對吧，夫人？」

她微微聳肩，就像電影裡的法國女人。「在我們談到parfum（香水）時就無法。」

他拿起一本舊雜誌——總是有幾本放在附近，是被前任房客拋下的——打算回他房間，希望那種謀殺性質的噪音已經平息，這時他轉回來面對她。「夫人，妳聽說過一位名叫奧立佛·圖克的男人嗎？」

她的眉毛揚起。「當然。怎麼了？」

他坐進一張磨損的皮革扶手椅裡。「我今晚見到了他。但我對他所知不多。」

「你見到他？州長？」

「州長？」肯很困惑。如果奧立佛·圖克是州長，他擔任這種公職還真天殺的年輕啊。而且在他的寫作生涯高峰？「我想這不可能。我在講的這一位大概二十八歲左右。」

「啊！」她臉上燃起一種辨明事實的光輝。「你是說州長的兒子。喔，那不幸的男孩。」

這只讓他感到更困惑，他等待著解釋。「好久以前了。你那時候出生沒啊？我不知道。」

「什麼時候？」他問道，希望這段對話遲早會真相大白。

她想了一會。「我想，是我孫子才剛出生的時候。所以大概是二十五年前。」

「我二十六歲。」他回答。

她嘆了口氣。「多麼可惜。」然後她甩掉了她腦袋裡有的不管是哪種念頭。他不確定他想知道那是什麼念頭。「圖克州長。那是在他成為州長以前……你看到那些窗戶裡的玻璃嗎？」

他點點頭。「我料想是圖克玻璃公司做的。有一段時間，加州的幾乎每一扇窗戶都是他們做的。很富有，喔，富有得不得了。可是這樣沒有意義，不是嗎？」

「為什麼？」

她哀傷地微笑。「因為奧立佛．圖克有兩個兒子。一個跟他同名，另一個叫……」她若有所思地皺起嘴唇。「亞歷山卓，我想是。亞歷山卓，他是比較年輕那個。不過他被帶走了。」

「妳說『帶走』是什麼意思？」

她正在尋找正確的字眼，不是她常用的字。她發音時不太自在。「誘拐。被殺。」

「怎麼會？」

她再度聳肩。「我記不得。太久以前了。你見到圖克州長？」她聽起來很意外。

「不，」他說：「我見到的是兒子。」

「喔，對，」她對自己的健忘嘖了一聲。「你見到的是兒子。倖存的那個。」

第二章

第二天早上八點鐘肯就在他的辦公桌前，為一則聲稱可以讓男性停止流汗的肥皂廣告流汗苦幹。不過，那位聽起來像德國人的客戶要求，像是「流汗」、「潮溼」、「溼氣」都verboten（禁止使用）[9]，「汗水」本身肯定不行。肯必須找到辦法說點什麼，卻不用到任何傳達這層意義的必要用詞。他專注於「發熱」這個詞，當成一種密碼，或許可以（勉強剛好）把訊息傳達出去。房間對面一台電話鈴鈴作響，卻幾乎得不到注意，直到他的老闆，一個為了追求陽光來到西部的紐約廣告人喊他為止。

「肯，電話。」

肯硬是讓自己放下工作，拿起沉重的話筒。他鮮少接電話，熱氣與對工作的挫折感，已經榨乾他大部分的精力。「肯．庫里安。」他說道。

「肯。《唐維爾圍城》。你的銀幕試鏡結果爛透了，但有人要給你另一次機會。兩小時內到這裡來。懂嗎？」這些話就這麼吠出來，沒提任何名字也沒有任何前言。

「太好了，好，謝謝你。」他吃了一驚，這麼說道。接著出現話筒被扔進托架裡的重擊

9　verboten這個字原本是德文，但已經直接被吸收到英語裡使用了。

聲。「我必須出去一下。」他對紐約客說道。

「出去？去哪？」

「派拉蒙。」他回答。

「你是個廣告人還是個演員，肯？」

「可能兩個都不是。」他這麼回覆。

一小時後，他回到他先前試鏡的房間。助理製片注視著肯，就好像盯著一隻拿著汽油跟火柴玩耍的猴子看。最後他發話了。「你有朋友啊，小子？」

「我不懂你的意思。」

「朋友啊，小子。在這一行的。你能回到這裡，一定有朋友。」

「就我所知並沒有。」他拚了命地回想。除非……

「今天早上接了個電話，六點。這對我不成困擾——我五點就起床了。一天最棒的時刻。但就工作電話來說，還是很早。我從製片那裡聽說，別人的某位哥們遇到某個年輕演員，會很適合演某一個小角色。」肯打算要開口說句話。「只是現在那個角色沒那麼小了。現在他會有三十幾句台詞。我們今天下午會拿到重寫的劇本。有想起什麼嗎？」

肯坐在他椅子上往後靠。這是個值得歡迎的好消息：他在業界有個大人物朋友，二十四小時之前這種事似乎還希望渺茫。

「我甚至不想知道。唔，服裝部門需要見你。過來這裡。你是個北軍軍官。」

「北軍？但我來自喬治亞。」

「我他媽的早跟他們講過了。」

他要扮演一名中尉，是他那些嗜血高階長官旁邊的理性之聲，這表示接下來五天肯要利用他的午休時間來試戲服與背台詞。然後在那一天到來的時候——預期中會累到暈頭轉向，因為那天也是奧立佛辦派對的日子——他準備好了，在他的住宿處前面等待，只等到一個流著鼻水的送信小子出現，告訴他拍攝會延後二十四小時，而說到底他應該在家裡休息放鬆。

被緊張與後續的失望擊倒，他回到床上。這樣從辦公室請假是浪費了一天，不過，哎，至少他可以為那天晚上的派對養精蓄銳。葛羅莉亞聯絡他，跟他說他們會再度連袂前往，他應該搭計程車去接她。在她問他為什麼上次拋下她的時候，她的聲音聽起來很冷淡。他掰出某種需求，他必須在特定時間回到他的住宿處，否則門就會上鎖。這解釋聽起來很空洞，因為它確實空洞。

「嗯，這次你要送我回家。」她說道。

「好。」他希望這只表示字面上的意思。

川流不息的車輛一台接一台停在奧立佛的房子前面，同時爵士樂浸透了夜晚的空氣。肯把它吸了進來，興奮地想這可能是他第一次真正的電影派對，在《洛杉磯時報》八卦專欄裡寫到的那種：皮膚貼著皮膚，毒品與醜聞。

葛羅莉亞穿著一件短連身裙，上面裝飾的緋紅色羽毛比亞馬遜鸚鵡身上的還多。他們通過一個黑白磚塊砌成的門廳，經過一個通往樓上（看來是雙倍挑高的單一樓層）的寬闊木質樓梯，進入被描述成「舞廳」的地方時，她替肯唯一的一件好西裝撢了撢灰塵。這個寬敞的房間鋪了白色大理石，一側擺了台很搶手的白色小型平台鋼琴。無論在彈奏的人是誰，都像個對扁桃腺熟門熟路的外科醫生一樣，很清楚怎麼操作琴鍵。

對面的角落留給室內一個下凹式泳池，那裡有幾個泳裝美女收到了暗示，正穿著可說是泳衣、或者就只是內衣的服裝，泡在那池子裡。某些人看起來甚至沒穿那些衣服。

整個房間都是擠在一起的身體：跳舞、對彼此輕聲細語、鬥嘴。而儘管葛羅莉亞要求肯今晚送她回家，不到五秒鐘她就瞥見某些朋友，把他留在吧台。他其實不介意。

環顧周遭，他注意到一排排顏色明亮的威士忌、琴酒與苦艾酒瓶，全都是渴望參加戰鬥的士兵，它們旁邊有些加了蓋子的小小銀盤。他舉起其中一個銀盤的蓋子。它暴露出短短一行白色粉末，旁邊有一根金屬吸管。他把蓋子放回去。他大學的時候有人給他古柯鹼，他那時不想要，現在也不想。如果他的賓客同儕們那晚想荒唐一下，那是他們的事。

他拿了一杯飲料——這次每個人都在灌馬丁尼，杯裡還塞了堆得像鼴鼠丘的黑莓——然後掃視這個地方。在外面，他看見他在尋找的男人，正沿著山坡往下遊蕩到海灘上。肯擠過人群，但當他抵達花園的時候，奧立佛已經消失了。

「肯！過來這邊！」是葛羅莉亞。她招手要他過去那裡，她坐在一張蓋著亞麻布的沙發，掛在一個男人身上，這個男人的臉頰如果沒一路連到下巴、眼睛沒有充血到讓肯在十步之外就看得見，本來會很帥。「肯·庫里安，這是皮爾斯·貝倫，他是華納的製片。」她用一種她似乎認為很含蓄的方式眨眼。

「很高興見到……」

「我需要去替我的鼻子補粉，」她說道，用一種暗示她不會去女化妝室做這件事的方式摩挲著鼻子。「不過別放他跑了。」

她輕快地起身，留下肯跟那個男人。他在流汗——或者像是那則《時報》上的廣告所說的，「在發熱」——汗水使一件襯衫、領帶、背心與西裝外套變得透明。

「你好嗎，貝倫先生？」

「氣死了。」他抱怨道。

肯猜想這不會是個容易進行的對話。「有任何特殊理由嗎？」

「今天他媽的守則會議。」

「抱歉我不懂？」他對於這男人在說什麼有點概念，但他已經決定不要幫他說清楚。

貝倫繼續抱怨。「海斯守則[10]。這一套雷厲風行。那個男人想害我們全部人破產。什麼啊，銀幕上不能有性愛？不能罵髒話？不能出現強姦？我們要拿什麼鬼給人看？國會根本不知道我們對這個國家的貢獻。」

肯決定他現在要豁出去。「那你們的貢獻是什麼？」他問道。

「夢想啊。他媽的夢想。像你這樣的鄉巴佬應該很欣賞這點。」唔，如果肯沒有很確定貝

---

10 海斯守則（Hays Code）的正式名稱叫做電影製作守則（Motion Picture Production Code），是當時大片場通用的自我審查準則，規定了電影中可以出現與不得出現的主題與內容。威廉・海斯（William Hays）是美國電影製片人和發行人協會第一任主席，在一九三〇年公布這套守則，一九三四年開始強力推行。到一九六八年，這套守則被電影分級制度取代。

倫受過的教育比他少，這番侮辱對他的傷害會比較深。「不然見鬼了你幹嘛要來這裡？你幹嘛不留在農場上？」

「我不是在農場上長大。」其實他是，不過他很樂意向貝倫這種人撒謊。

然而貝倫沒有被打敗。「當然了。但你認識很多這樣的人。這個國家？它是個他媽的夢。那個猶太女人在自由女神像上面寫了什麼？『給我你們這些依偎在一起，渴望自由的群眾』[11]？你知道那種渴望是什麼意思嗎？」

「我知道那是什麼意——」

「那意味著夢想。他們需要夢想。我們給他們夢想。只要十分錢。只要他媽的十分錢，他們可以做夢，夢到他們飛去墨西哥，或者吃十五道大菜，或者幹葛麗泰．嘉寶[12]。飢餓？有帳單要付？在這裡不用。這裡都沒有。它們全都在電影院外面。那就是為什麼他們需要我們。你覺得這樣有問題嗎？」

「問題很多。」他說道。他不憤怒，只是對這個對話感到厭煩，雖然它熱烈進行的時間不到一分鐘。

「那你應該——」

「我應該什麼都不做。」

「什麼？你——」

「聽著，我跟你待了三十秒，而這樣對任何人來說都很夠了。我要去雞尾酒吧。我會問你你想要什麼，但我不在乎。」他站起身來，一路擠回屋裡。

「你告訴貝倫該在哪裡收手。」

奧立佛手裡拿著一只雞尾酒杯出現了，裡面裝滿一種淡棕色液體跟冰塊。

肯嘆了口氣。「你認為這不是個聰明的舉動。畢竟他是個製片。」

奧立佛啜飲著他的飲料。「他還是這樣告訴別人啊？」

所以，這個男人是個假貨兼農場動物。「他實際上是什麼人？」

奧立佛把他的手放在肯的肘彎上，領著他往下走回海岸線上。「一個辦事員。」

「替誰辦事？」

奧立佛遲疑了，就好像在考量是否要揭露某種相當祕密的事情。「我忘了。」他說。

唔，肯相信這點的程度，就跟相信有七元鈔票一樣。不過如果奧立佛準備好了，時候到了就會告訴他。而在他們往外眺望著浪花像白色老虎那樣翻滾的時候，肯有件事情想提。「我上星期接到派拉蒙的電話。」

「喔是嗎？」

「他們在一部電影裡給我一個角色。有人推薦我。」沒有回答。「多謝。」

「沒什麼，不用提。」

「但我會提起。這對我來說是大事。」

---

11 這一段是自由女神像上面刻的詩句，出自美國詩人艾瑪．拉薩路（Emma Lazarus，一八四九—一八八七）的詩作〈新巨人〉（*The New Colossus*）。

12 葛麗泰．嘉寶（Greta Garbo，一九〇五—一九九〇）原籍瑞典的知名女演員，從一九二四年起活躍至一九四一年息影。

奧立佛漫步到附近的飲料桌，回來的時候把他的雞尾酒杯換成了一瓶氣泡酒加兩個香檳杯。他扭掉鐵絲，讓瓶塞炸出來解放自己。其中一些酒在瓶頸下方嘶嘶作響。「你看來是個好人，肯。所以我做了我能做的，而我希望這樣會導向更大的成就。」

「有可能。」他鮮少容許自己做夢。不過他喜歡他所指出的未來方向。

奧立佛猶豫了一會，然後眺望著海洋，同時揮手。收到他的信號，那艘小汽艇加速離開它八字型的海上航道，停在幾碼外的乾燥沙地上。「今天晚上有相當好的日落，」奧立佛說著，往外凝視。他們涉入泛著漣漪的水裡，跳到船上，船轉了一圈，顛簸著穿過被夕陽染成橘色的海浪。「也許我應該寫部電影讓你在裡面演出。」當他們接近寫作塔的時候，奧立佛喊著壓過引擎的怒吼。

「我想那樣會是很大的要求。」

「我從沒寫過一部電影。寫書錢比較多。就現在來說。」

「錢有多重要？」

「夥伴，我跟錢一起長大。我對它上癮。你把錢從我身上拿走，我就會自己崩潰。」這麼說很讓人驚訝。當然，肯年輕的時候金錢狀況很吃緊——在他們稱為大蕭條的那些飢餓年頭裡，吃緊得要命——但他總是假定那些有錢、而且一直都有錢的人，對錢漫不經心。「不過，你一定有足夠的錢。」

「對上癮者來說沒有這種事。上癮就是這個意思。更多酒，更多毒品。不管你擁有多少，你總是需要更多。」

「所以為什麼不乾脆就留在家族事業裡？玻璃，對吧？」

「玻璃，對。建立了這個地方。唔，我遠離公司可能對它比較好。以現狀來說，它持續讓玻璃窗滾滾而出，也持續讓錢滾滾而來。所以，我有時間寫作。」

船把他們放在圖克家族地產的岩石前哨站上，他們走了進去。奧立佛點燃頭上的一盞油燈，它嘶一聲地活了過來，在書本上投射出一道火熱的光。「我一直在寫某樣新東西，」他說：「某種我……」他停下來，在半途迷失了他的思緒。

「那是什麼？」肯催促他。

奧立佛突然迅速回到房間裡，走向那個寫字桌櫥櫃。他拿出一把很細的鑰匙，打開櫥櫃的鎖，露出一小疊書。某些是翻到破爛的現代紙本書，私校小孩瞞著師長偷看的那種垃圾，其他的則看起來相當神聖，用剝落的皮革裝訂。

他從那疊書裡拿起一本，結果是一本廉價小說。書名《他要她的命》顯眼地出現在一個聳動的封面上，妝點的圖片是一名私家偵探用他的點四五左輪手槍指著一條巷子。地上有個金髮女孩，裙子拉高到她大腿上。

「你認為這是講什麼的？」奧立佛問道。

「我猜是個私家偵探……」他開始打開那本書。不過奧立佛把書從他手中抽走，把它翻過來，又塞回肯的手裡。

「那現在呢？」肯低頭去看，期待看到關於情節還有硬漢主角性格的笨拙描述。但他反而發現了另一本完全不同的書。這本尖叫著《她需要殺人》。而這回槍是一把小小的狄林格袖珍手槍，在同一名金髮女的手中，她現在站著，槍直指著偵探的背。這一本書其實是兩本，讓肯吃了一驚，又把它翻過來，再度凝視第一個封面。「這個形式很……吸引人，不是嗎？」奧立佛說道。「一個故事，然後顛倒過來是另一個故事，不過是第一個故事的某種鏡像。也許角色們從不同的觀點看起來非常不一樣。」

「我猜是的。」

「這就是我在工作的內容。在某方面是。人從一個觀點轉換到另一個觀點。從一個年份轉換到另一個年份。」他的視線穿過門口，瞪著輕拍岩石的黑色波浪。「人確實會改變。」他的聲音有一種深思熟慮又遙遠的特質。

「喔，不會變那麼多。」

「你這麼認為？」奧立佛停頓了一會，顯然迷失在他自己的思緒中，接著又繼續。「在我非常年輕的時候，我坐輪椅——小兒麻痺，狀況很糟。我被告知必須被綁在輪椅上，否則我會跌出去。但我現在好了，我的身體適應而且成長了。」

「那很好。」肯得到的印象是，奧立佛在說的事情，比他實際上說出來的還多。他揮一揮那本書。「你寫了這本書嗎？」

「這本？不，這是別人寫的。」

「你怎麼稱呼它們？像這樣的書？」

「正確詞彙叫做Tête-bêche（對倒）。頭腳相對。作為一種概念，它們相當古老——這是它們以前的樣子。」他從書堆裡拿起最上面的一本，把它交給肯。龜裂的栗色皮革裝訂封面上鑲嵌著金色字母，大半都已經被磨掉了，但還可以解讀。前面是新約聖經，字體細小到光是讀它就帶來一陣頭痛。翻過來，是一本讚美詩集。「比它們後來變成的樣子更虔誠一點。」

「當然。」肯把它拿到《他要她的命》旁邊。

「現在是出版商玩的小把戲了。買一本書，得兩本書！當然，你仔細想想就知道，這不表示你會得到完全一樣的頁數。」他整理好他桌上幾樣變得不整齊的東西。

「我會想讀這一本。」肯告訴他，同時翻了一遍那本偵探小說。

「請自便，夥伴。事實上，你想拿任何一本都可以。」他的拇指朝那疊書一比。

肯注意到在那堆書底下有某樣東西有些不一樣，一本白色筆記本。他把它抽出來。前面是手寫的名字《沙鐘》——這本書在書報攤上不會賣得像《她需要殺人》那麼好。肯對於奧立佛・圖克的作品沒那麼了解，但廉價偵探小說，肯定是稍微改變了寫作方向吧？唔，或許他想要試試新玩意。

他打開頭一頁。「西緬・李的灰色眼睛從……」它這麼開頭。

但奧立佛的手伸了過來，輕柔地闔上那本書。「我還在寫，」他說。「我還不太確定它要如何結尾。」肯讓他拿回去，把書放回書堆底部。他再度鎖上櫥櫃。

「但你知道開頭。」

「當然。不過結尾遠遠重要得多，」奧立佛回答。「它很快就會出版。你到時候可以讀它。」

「如果你不知道結局，那怎麼可能呢？」

「喔，我知道又不知道。無論如何，六月底來臨的時候，它就會在店鋪裡了。」

如果奧立佛現在還沒寫完它，那算是相當快。肯猜測這種廉價通俗小說的出版時程表是很短的。「所以就像其他那些書一樣，你把它翻轉過來，就會得到另一個故事？」

「是這樣，不過我只寫了其中一個。出版商找別人寫另外一個——他們認為跟我的作品很合的某樣東西。不過，總有一天我會寫我自己的配套作品。同一個故事，不過從不同方向寫。它的倒影。」

「你知道，我可以在它出版前讀它，」肯說道，同時指向那個寫字桌櫥櫃。「撬開鎖，想辦法闖進去。」

「你可以，」奧立佛勉強承認。「但你不會。」

「告訴我為什麼。」

奧立佛把雙手插進口袋裡。「因為你太尊重是非對錯。而我認為，在這裡我需要更多像這樣的東西。無論如何，你不用等太久。」

「這是真的。」現在，他的視覺已經適應了這房間的低微光線，肯就瞥見某樣出乎意料被塞在一旁的東西。那是個畫架，上面有一幅用床單蓋住的畫。「你有其他嗜好。」

「我發現這樣可以清空我的腦袋。」他聽起來似乎非常愧疚。「夥伴，跟你說實話，我發現派對相當累人，而在派對進行的時候，我喜歡到外面，也就是這裡待一會。在大型派對正熱鬧的時候，大家幾乎不會想念我。」

「我可以理解這點。我是說關於派對。東道主是所有工作中最困難的。」

「某種程度上我是不小心栽進那個角色的。」很明顯，奧立佛對自己這麼做不完全感到高興。

肯能夠想像他謹慎地叫來他的汽艇，乘著海浪出發，在他的畫布或他的打字機前花上半小時——做好準備，把派對用的微笑放回原位，然後走回從他房子裡溢出的戰場。「我可以看嗎？」他走向那幅畫時問道。

「請自便。」

肯掀起蓋布，發現一張中等尺寸的畫。它還在早期階段，上面的鉛筆線比顏料還多，準備好引導畫家的筆刷。不過這似乎是一張肖像，一名女子在懸崖上的玻璃屋前面。

「她是誰？」

「不是個特定的人物。」

肯沉思著這是否可能為真。藝術家，甚至是業餘藝術家，從來不會隨便畫人物，他們心中總是有某個對象。所以他還是納悶她是誰。

派對的其餘部分，在唱歌、戲水、人為了壓過噪音而喊到自己聲音沙啞的朦朧迷霧中度過。肯抓住機會，稍微探索了這棟房子。樓上有五間臥房、一間圖書室跟兩間浴室。所有房間都有用不透明煙燻玻璃做的門，顏色是紅色、綠色或藍色。午夜過後的某一刻，葛羅莉亞出現在舞廳裡，拿著一只上面有白粉條的銀碟。她堅持要肯嘗試一點，他以相同力道堅拒，直到她放棄為止，她噘著嘴唇，說他是個無聊的狗雜種，最好記得今晚要送她回家，否則她會給他好看。然後，在半小時後，她告訴他皮爾斯．貝倫，「被你那麼粗魯對待的華納製片」會送她回家，而且他好心地同意載肯一程，即使肯的粗魯態度完全不適當。這時的肯已經因為太過疲倦而同意了。

當肯坐進一台白色的迷你歐洲小車後座時，貝倫已經在駕駛座了。肯的座位比較適合一隻小型寵物犬而不是一個人類，而在肯讓自己放鬆下來的時候，他看到了貝倫的眼睛。就算在來自屋子的微光之下，他都可以分辨出瞳孔縮小了，而他的鼻孔底下有兩道粗略的白色抹痕。他祈禱他們不至於衝出馬路，就能回到家裡——或者至少是某個靠近家的地方。

「我很渴。還很餓。」在海洋道路飛快如鞭從他們身邊掠過時，貝倫喊道。

「聽你這麼說真遺憾。」肯回答裡的反諷，對方並沒有領會到，但葛羅莉亞聽懂了，憤怒地瞪著他。

「想吃個漢堡。」他們經過一個廣告肉類的告示牌。「還有可樂。」

「你不認為你已經有夠多『可樂』[13]了嗎？！」葛羅莉亞笑出來，但貝倫的臉只表現出困惑。

「什麼？」

「我是說，像是白色的『可樂』。白粉。你懂的：毒品。」

「喔！」他臉上迸出一個微笑，後來他踩下油門的時候也在開懷大笑，讓他們沿路的車速甚至更快，還愈發不穩定。但接著他突然踩了煞車。

「基督啊！」在猛然衝向葛羅莉亞座位背後的同時，肯驚喘了一聲。

「它在那裡！」貝倫說著，一邊指一邊轉著方向盤，好讓他們轉進一間整晚營業的燒烤店停車場。

他拉起手煞車，朝著入口衝。肯跟葛羅莉亞別無選擇，只能跟上。在貝倫踢開鋁製門的時候，他轉過來面對他們。他的臉凝固了，就好像他吃了一顆檸檬。「黑皮[14]。」他大聲喊道。

「什麼？」肯回答。

貝倫指向一個走近「外帶」櫃檯的有色男子跟他女友。

「黑皮。到處都是。」他確保整個房間都聽得見他的聲音。那名黑人男子當然聽見了，而且在回去跟女侍繼續對話以前賞了他一個嚴厲的眼神。

「我說，到處都是黑皮！」這次他吼了出來。

「喔，耶穌基督啊。」肯暗自說道。他想離開，但他們距離任何地方都有好幾哩遠，唯一的交通工具就是皮爾斯．貝倫。

然後貝倫換檔了。「我們白人。你們黑種。你們等！」他用一種裝出來的部落口音低吼，把自己一隻汗淋淋的手臂插進那對情侶跟櫃檯中間。

那名有色男子怒視著他，回答：「我們先來這裡，你們後來。」他用相同力道把那隻手臂推開。不過這男人不可能知道貝倫剛吸過什麼，還有那如何影響他的大腦。突然間貝倫的拳頭——從它揮出的強力一擊來判斷，未經訓練，卻很沉重——連上了暗棕色的皮肉，接著一隻纖瘦些的手肘就敲進貝倫的太陽神經叢作為回敬，而女侍在打電話叫警察，葛羅莉亞尖叫個不停，肯則對神說，他真希望先前找了別的方法回家。

兩小時後，肯渾身浸透了夜晚的汗水，坐在大學大道警察分局的一張長椅上，腳邊有三個被咖啡渣弄髒的紙杯。另外那對情侶正在被訊問、處置與欺壓。貝倫在付費電話那裡再度大吼。

「他媽的黑皮打我，圖克。一個他媽的……他們現在自以為了不起了。我發誓，他們永遠

13 可樂（Coke）跟古柯鹼的俗稱是同一個字，而且可樂的原始配方裡真有古柯鹼（後來當然拿掉了）。

14 貝倫用的字眼是shines，這是極端冒犯的用語（跟「黑鬼」〔nigger〕一樣糟）。

不該被解放。他媽的他揍我一拳，你聽到沒有？」那裡有個短暫的沉默，這時想來是奧立佛·圖克插進幾個字。「這不是很明顯嗎，你這笨瓜？你來這裡保釋我。他媽的警方保釋金。」幾秒鐘平靜。然後貝倫壓低他的聲音，變成一種威脅性的氣音。「因為如果你不這麼做，你就不會得到我替你找到的東西。你永遠不會知道發生什麼事。」儘管聽起來很怪異，他又裝出一種高頻的、連哄帶騙的女性嗓音。「喔，奧立，小奧立。我實際上發生什麼事呢？」他轉回他先前那種氣音。「你沒辦法什麼都不做，因為你不知道發生什麼事。」他猛然摔下話筒。當他大步走回肯跟葛羅莉亞坐在長椅上憔悴的位置時，一個齜牙咧嘴的獰笑黏在他嘴上。「圖克會來。他媽的二十分鐘內。」

對肯來說，奇怪的事情是圖克真的來了。在他媽的二十分鐘內。

第四章

肯有個六點鐘的通告，是要為《唐維爾圍城》拍些定場鏡頭[15]，他已經向報社請了一天假。那給他整整兩小時的睡眠。電影工作人員的腕錶滴滴答答走到超過九點，他穿著全套戲服坐著曝曬，等著在一場群戲裡走過去，而他心裡鬧哄哄的都是問題，關乎奧立佛到底為何會在大半夜從自家開車過去，把兩百塊交給洛杉磯警局，就為了放出像皮爾斯·貝倫這樣一個說謊的野蠻人。而不管答案是什麼，他有個不祥的預感，那個失落的夜晚可能就代表他跟奧立佛·圖克的友誼終點。

隨著熱氣、缺乏睡眠還有馬丁尼的殘留物在他腦殼內側踢騰，他的頭腦跟著砰砰猛敲，他拖著身體走向第二副導演。「我真的很抱歉，但我可以去比較涼快的地方等候嗎？」他問道。

那年輕男子設法搞清楚他是誰。「布魯克斯中尉，對吧？」

「對。」肯熱切地點頭。這大概是第一次有任何人認出他或他的角色。

「你挑吧。那邊的太陽下有張長椅，或者那裡有輛拖車。拖車是用鋼鐵做的，那就像待在烤箱裡一樣。選擇個你要的爛地方。」他在走開以前，檢查了一個夾著厚厚一疊紙的夾紙板。

肯去了長椅。

15 定場鏡頭（establishing shots）有時也稱為（場景）建立鏡頭，通常是在一場戲的開頭明確交代發生地點。

太陽狠狠往下砸，就好像他冒犯過它似的。它搔抓著他的臉，不知怎麼地硬是穿過布料，透過他的衣服灼燒著他。當他再也承受不了而站起身的時候，他可以感覺到他胸口的皮膚爆開碎裂。拖車有可能更糟嗎？他拖著自己去了那裡，發現二十個臨演跟幾個主要卡司擠在它的陰影下。「不管你要做什麼，小伙子，根本別想進去那裡，」一個年輕人用刺耳的聲音對他說道：「你進去以後就再也出不來了。」

肯讓自己扭動著鑽到一個有色女孩（她扮演一名出色又危險的北軍間諜）還有一個以店主身分上鏡的單手男子中間。那名男子已經拍完他唯一的一場戲，在兩軍交火時中槍，但被告知要在現場待到不知何時，以免他們想把他帶回來。「把我帶回來？我在第一時間就被殺了！」他在抱怨。「他們那時候有的是哪種醫生啊？巫醫嗎？」

「各位，午餐！」有個年輕孩子透過一個金屬錐吼出這句話，這是今天最受歡迎的詞句；他看起來就像是從他的高中數學課堂脫身，極度興奮。肯走向一盤麵包與墨西哥豆，旁邊還點綴了一些由不明肉類做成的肉腸，這時他瞥見導演——一名感情過剩又非常矮小的男人，留著一道不適合地球上任何人的鬍子——從一輛拖車裡出來，一分鐘後，一名分配到某個小角色的紅髮女演員跟著出現。一小時以後話傳開來，紅髮女取代了嗑藥嗑昏在浴室地板上被發現的女主角，肯一點都不驚訝。

「真是太有趣了，你不覺得嗎？」其中一個較年長的女人說。

「或許吧。」

「這是你第一次參演其中一部？」

「是的。」

「我上個月拍了三部。這是剝削。」

「是喔？」

「我演過莎士比亞。現在卻是這個。」她揮揮手指向這一切。「就是剝削。」

他們被第三副導打斷，他抓著肯，大步護送他到一個剛開始的場景。「你在這場戲裡。」肯這麼被告知。

「有嗎？這不在劇本裡。」

「你用了錯的劇本工作。你是拿到的是綠本。我們現在用黃本。」他說，在肯胸前翻動著那捆黃色頁面。

「好。我有台詞嗎？」

「就在這裡。」他指出幾句。

「那不是我。」肯失望地說道。

「什麼？」

「我是布魯克斯中尉。」

他們兩個人都瞪著那些屬於另一個角色的台詞。「喔，可惡。」這男人嘟噥著抱怨，離開去找正確的演員。

肯不知怎麼地撐過了這一天，在剛過五點時回到他的租屋處。他已經在攝影機指向另一個方向的時候，走上山丘一次了。在他到家時，他發現有一張字條被推進他的門縫。那是他的房東太太來自舊世界的筆跡。

「庫里安先生，圖克先生順道拜訪過。他說他對昨晚帶來的任何不便感到很抱歉，並且希望你還安好。他想邀請你星期五晚上八點到廣場飯店吃晚餐。他有輛非常好的車子。」他很確定，最後那段陳述是她自己的想法，而不是奧立佛的。

他把那張品質良好的書寫用紙放在他的床邊桌上，脫下他的鞋子跟外套，穿著一身外出服睡著了。

第五章

在接下來幾週裡，他見了奧立佛幾次。他們通常會在高檔餐廳吃晚餐，奧立佛會不著痕跡地把帳單掛到他個人的帳戶上。作為回報，肯會在午餐時間買餐車熱狗一起吃。這種安排倒還不錯。

「明天不就是你出書的日子嗎？上下顛倒那本？」有一天晚上肯問道。他是用喊的，因為他們在一場拳擊賽的場邊座位上，群眾比輛特快火車還大聲。

奧立佛花了點時間才回答。「《沙鐘》。對。」

穿著金色短褲的拳手揮出一記毒辣的上勾拳，把他穿著黑短褲的對手打趴在地上。群眾跳起身來，狂吠著要見血。

「所以你現在對結尾滿意了？」

「我不會……。」奧立佛沒把話說完。他的遣詞用字通常極度精確。「也許。我猜是吧。」

「你會告訴我那書跟什麼有關嗎？」

奧立佛猶豫了一下才回答。「我有提過，我父親的家族是來自英格蘭嗎？」

「沒有。」

「他們來自英格蘭。來自東岸的一個郡。艾塞克斯。那是家族宅邸所在地——我們在這裡的房子是它的複製品，只不過是用玻璃建成的。我們以前偶爾會去拜訪那個古老的地方——它是在一個叫做雷島的蕞爾小島上。一切都顯得相當淒涼。我把書的背景放在那裡。」

「有意思。這故事是什麼樣子？」

奧立佛再度安靜了一會，然後才回答。「是個哀傷的故事。」他不常帶著情緒說話，不像那樣。正常狀態下他很實事求是。

「讀者會買那個嗎？」

看比賽的群眾嚎叫著，這時黑短褲拳擊手從欄索那裡衝回來，在他對手臉頰上開了個很寬的傷口。「很多人會。」奧立佛告訴他。

「誰會對此感到哀傷？」

「我會。」

在一陣急切的黃銅鐘響以後，拳賽以宣布金短褲成為贏家作結。勝利似乎讓對話停頓下來，他們走出去，到一個奧立佛知道營業到很晚的地方吃東西，又在比較清涼的空氣中沿著日落大道散步，被唧唧鳴叫的蟋蟀與汽油的煙霧包圍。一股潮溼絕望的空氣在洛杉磯上空盤旋，肯感覺到了，在時鐘走到凌晨兩點，醉鬼與流浪漢在垃圾堆裡挑挑撿撿的時候，它就掛在那裡。

「你的書會在幾小時後上市。」肯看著他的錶，這麼提到。

「我猜會吧。」

「奧立佛，我不認識任何其他作者。不過我相當確定，大多數人在新書問世時會更興奮些。」

奧立佛停下來，回望著街上。現在很安靜，只有幾輛車蜿蜒走上它們的回家之路。「我不確定這是正確的事。」他說道。

「為什麼不？」

「因為罪惡。因為我有罪。」

肯停下來，坐在某人毫無理由放在路旁的一張水泥長椅上。「有什麼罪？」

「存在於此。」奧立佛回答，他仍然站著，並且凝視著馬路。

「你真的可以因為這種事情而有罪嗎？因為活著？」

「有時候。」

「那是鬼扯。所以現在你會告訴我嗎，是什麼把這種想法帶進你心裡的？」

奧立佛似乎動搖了，但接著他找了一個藉口。「下次吧。」他再度讓自己的語氣變得輕快些，就好像有一部分的他短暫地被允許現身在光線下，卻又被推回內側；肯放棄這次機會。奧立佛準備好了就會說。

他們邊走邊聊，沒特別講到什麼，到最後某種事物帶著他們的腳沿著奧林匹克大道走去，然後他們來到一間書店，有個點了燈的櫥窗。櫥窗裡，《沙鐘》被擺在顯眼之處。

「現在讓它全部倒下吧。」奧立佛說道，幾乎是自言自語。

第六章

在那個週末，月曆標示為七月第一天的星期六早上，肯在一部有聲電影裡說了他的第一句與最後一句台詞。甚至對他本人來說，那些台詞都讓人過耳即忘——大致上是一位資深軍官對軍團駐紮的安排不滿意，還有一段後續爭論是講到軍隊先前行軍的時間。導演接受了台詞的表達方式，但其實沒有任何跡象顯示他有在聽；而且因為那是個清晨場景，肯在十點鐘就回到他的小窩了。當他從巴士站走回去的時候，他很訝異地看著奧立佛在房子外面等待。他雙手抱胸，靠在一輛大車的引擎蓋上，是一輛凱迪拉克豪華旅行車[16]。肯的房東太太讚美那輛車的時候說對了。

「想見見我父親嗎？」在肯靠近的時候，奧立佛問道。

直到那時，肯只從他的房東太太那裡聽說過這個人，老奧立佛．圖克，還有偶爾會在報紙上讀到。「為何不？」

一位司機打開車門，肯坐了進去。車子低鳴著進入穩定的車流。「抱歉，夥伴。我忘記了。你可能不知道我父親是誰。我爸是州長，」奧立佛解釋。肯什麼都沒說。「他從沙加緬度回來。他通常住在那裡的州長官邸，不過他進城來參加一個活動，趁他在這裡，W2XAB電視台[17]

16 以年代推測，應該是凱迪拉克從一九三〇年到一九四〇年的凱迪拉克V-16車系，是當時非常精緻昂貴的高級車輛。

17 W2XAB電視台是一九三一年開播的實驗性電視台，使用的技術是機械掃描電視系統（mechanical television）。

要訪問他作為晚間新聞，而他想要在古老的家族宅邸裡，表現一下古老家族的力量。」

肯先前幾乎沒想過這個事實：奧立佛的玻璃牆家園實際上並不屬於他——是他父親的，所有家具、書籍、鋼琴，都屬於圖克州長。

「哪種活動？」肯問道。

「政治上的活動。他明年要選總統。他得取得共和黨提名，而他要為某些本地的活動組織者辦一場小小的晚會。」

「所以他是要拉選票囉。」

「選票？才不呢，不是這麼俗氣的事。爸是要拉贊助的錢。」

這個家族很富有，但總統初選的花費，甚至可能會超過他們很深的口袋。

途中肯想著他上次出席的圖克家派對。那一晚的結尾並不怎麼樣；如果奧立佛沒能夠把他的手放在兩百塊上替皮爾斯．貝倫繳保釋金，結果可能會變得更糟。在他們靠近房子的時候，他說話了。「皮爾斯．貝倫到底有什麼關於你的把柄？」

他想他如果這樣打探，奧立佛會有很好的理由直接把他送回他家，但他的朋友看來甚至沒有不悅之色。「我想過你遲早會問的。」

「為什麼？」

「因為你是個洞察力強的男人。」

「那答案是什麼？」

奧立佛瞥了他一眼，卻沒回答。

這台遊艇大小的車子掃進車道，他們漫步走進屋裡。門廊裡有某樣東西抓住肯的注意力：

火爐上方有張畫，他很確定它先前不在那裡。他認出那是他在寫作塔畫架上看過的那幅，現在完成了。那是一幅肖像，畫的是一位約三十歲的女性，背景裡還畫著這棟房子。主角有著從肩膀落下的栗色棕髮，還有明亮的眼睛——說真話，明亮得不自然，因為它們被畫成有一道陽光眩目地照進其中。她的衣服有點過時，連肯都可以看出這點。

「這是某個特定的人嗎？」

「你還沒讀我的書，對吧？」奧立佛的語氣是覺得有趣的警告。

「還沒——電影拍攝卡在中間，但我保證我會看。」

「好。我們上去吧。」

他們爬上樓梯，走過那段樓梯平台，打開通往圖書室的綠色煙燻玻璃門。肯先前只曾經短暫地望進那房間裡。它有裝了暗色木頭護牆板的牆壁，還有一種遲緩乏味的氣氛，就好像夏日早已離去，它要面對的是一個黯淡的冬季。

「今天跟我一同坐在這裡的是奧立佛．圖克先生，加州州長，」一個禿頂男子膝上拿著麥克風高聲說道。「州長，能不能請您告訴人在家中的觀眾們，在我們接近總統初選的時候，您在想什麼呢？」

他們上方的牆上掛著一張家族畫像。州長站在那裡，手堅定地放在他坐著的妻子肩膀上：一個有風度與鋼鐵色灰髮的男人，一個有美貌與溫暖五官的女人；在他們面前的，是他們的孩子。但這幅畫有兩個面向讓肯很驚訝。第一是那裡不只有肯的房東太太提過的兩個孩子，而是三個：兩個五歲以下的男孩，看起來像同一個豆莢裡的豆子——黑髮框著相同的圓臉——還有一個嬰兒，被母親抱著。其中一個男孩坐在一張輪椅裡，而肯想起來，奧立佛說他小時候曾經因為小兒麻痺坐過輪椅。

另一個驚奇是，畫像裡的女人無疑就是樓下那幅肖像的主角——奧立佛宣稱那幅肖像沒有特別在畫誰。

「四個字，先生，四個字：社會腐敗，」這是州長的答覆。肯聽到一個幾乎跟奧立佛一樣的聲音，只是隨著時間與重度煙癮而老化，煙癮也讓州長的牙齒成了小麥色。「而我很抱歉地說，這種腐敗的一個主要來源，就是加州這裡的電影業。雖然我自己是有聲電影的大粉絲，不過這年頭我們有很多年輕人去看電影，看見了很多他們不該看的東西。」

「哪種東西？」

又來啦，肯暗忖。鬧區的所多瑪與蛾摩拉。政治家們用他們的譴責填滿一頁又一頁的報紙版面。

「喔，他們看到毒品的使用，他們看到野蠻的暴力，而且他們在複製它。在銀幕上一切看起來都這麼時髦漂亮，他們何樂不為？」

「反暴力犯罪是爸的大重點。」奧立佛耳語道。

「我想也是。看起來很真誠。」

「事涉個人。」

「怎麼說？」

「我有過一個弟弟。」奧立佛的臉顯示出一種混雜的情緒：哀傷，還有某種似乎更像是憤怒的東西。「我那時五歲，亞歷斯四歲。他被誘拐了。」

「從這裡？」

「這裡？喔，不是。我們在別的房子裡。英國的那棟。我們再也沒見過他。」他凝視著窗外。「我恨那個地方。」

現在是坦白的時候。「實際上，有別人告訴我發生過這件事。」

「不意外。」奧立佛聳聳肩。「總是會有人說。」他清了清他的喉嚨。「無論如何，爸從此以後就很重視犯罪。」

一名製片把手指放在他嘴唇上，叫他們閉嘴。

訪問結束了。「您聽說總統今天發生什麼事了嗎？」在他們站起來的時候，訪問者問道。

「我聽說他跌下他的輪椅[18]，」圖克帶著不懷好意的笑回覆。「選殘廢，得殘廢。美國人只能怪他們自己。」

訪問者從鼻子裡噴出笑聲，然後提議他們在外面的花園裡錄一小段影片。圖克同意了，接著攝影機錄下他在崖頂的草坪上走路，旁邊是他兒子，背後是大海。「祖父種下了這些梔子花，」他正在說話。「他知道如果有好的根，就會有一棵強壯的植物。就像強健的家庭。我們現在的一切，都是起源於他。」這是講給麥克風跟攝影機聽的誇大之詞。而儘管環繞他們的花朵刻板地排排站，肯還是忍不住記起奧立佛在第一次見到他的時候說過的話：這棟房子有某種腐敗與邪惡之處。

18　一九三九年的美國總統是法蘭克林·D·羅斯福（Frankin D. Roosevelt，一八八二—一九四五），他在一九二一年罹患小兒麻痺症後只能短時間行走站立，必須長時間使用輪椅。從一九三三年到一九四五年卒於任內為止，他帶領美國從經濟大蕭條中重建、面對第二次世界大戰，被公認是美國最偉大的總統之一。

儘管如此，他們停下來欣賞梔子花。到最後，攝影人員打包收拾，州長則問奧立佛，他是否還跟電影業的那些雞姦者混在一起。

「只有他們之中的某些人是，爸。不是所有人。」

「至少他們不能繁衍。」

「我猜不行。」

「我想領導這個國家，」老圖克說，同時伸展著他的背部。「以歐洲的局勢，現在很關鍵——民主黨人會把我們帶進另一場對抗德國的戰爭災難裡。這是為了什麼？看一百萬美國男孩被扯成碎片嗎？而你請男同性戀來喝茶，對我的勝選機率沒幫助。別人會假定我自己就養了一個。」

「我會叫他們別來。」

州長點點頭。在草坪盡頭，有個鍛鐵做的八角型避暑屋，中央有個用相同金屬做的情人雅座。坐在那裡，淡漠地注視著他們靠近的，是一個美得驚人、黑髮幾乎及腰的女人。她穿著一套白色服裝，還戴著一頂寬邊帽，為她蒼白的臉遮擋太陽。她的手臂沿著座椅頂端伸展開來。一根菸在她的手指之間燃燒，而他們靠近她的時候，她抽了一口，就把它扔到一旁，把她的臉頰靠到她手臂上。

「哈囉，蔻若蘭，」奧立佛說道。她的視線從他轉向他的朋友。「這是肯．庫里安。肯，我妹妹，蔻若蘭。」

他伸出一隻手，她握了上去。「你是我哥哥的朋友？」她說道。她的聲音很輕柔，就好像她習慣只對手臂長度距離內的人說話。

「我喜歡這麼想。」

她盯著他，就好像他講得太小聲聽不見。接著她轉向她父親。「佛萊契要給你多少？」她問道。

「不夠。」他不滿地抱怨。

「你總有一天要跟他攤牌。」她又對她哥哥說道：「我想我會在這裡待一陣。我厭倦沙加緬度了。」對於這個前景，蔻若蘭．圖克會住在他已經變成常客的房子裡，肯如果否認那時他心中打了場小小的內戰，他就是在撒謊。「你有出現在電影裡嗎？」蔻若蘭問肯。

「正在設法。」

「你看起來有那種樣子。」

「哪種樣子？」

「很快就會失望的樣子。」

一位管家插話，告訴州長拍片人員正要離開，製作人想要很快地跟他說句話。他跟著僕人回到屋裡。

「妳可以帶肯參觀一下花園嗎？」奧立佛問道：「我需要跟卡門談一下。」

「誰是卡門？」肯問道，無法忍住他的好奇。

「女僕，」蔻若蘭回答。「當然可以，我會玩扮家家。」

奧立佛追隨他父親的腳步，肯跟蔻若蘭則講了幾分鐘話，實際上卻等於什麼都沒說。花園，天氣，在等路面電車時陌生人對彼此說的話。肯凝視的目光落在房子雙倍挑高的上層。兩排窗戶是拱形的，而且很大，他看見奧立佛被框在其中一扇裡，認真地對一個似乎在哭的老墨西哥女人說話。她跑出視線之外，奧立佛站在那裡看，就好像他的肚子剛挨了一拳。

「你騎馬嗎，庫里安先生？」蔻若蘭問道。

「小姐，我在喬治亞長大，」他心不在焉地說：「如果我不會，我哪都去不了。」

「很好，」她說：「我一直在找匹老馬。我們今天會去騎馬。」

一小時後，在沿著海岸往前幾哩的地方，肯、奧立佛與蔻若蘭走進一間養馬場的大門。他們穿著馬褲，肯硬塞進奧立佛的一條舊褲子裡。「從我有記憶以來，我們就一直把我們的馬養在這裡。」蔻若蘭說道。

「她是你會見過競爭心最強烈的女騎士，」奧立佛吐出這句話。「向來只有這件事會讓她心跳超過每分鐘二十下。」

「而他比海洋還慢，」她說道，同時領路繞過後面。一名馬倌跑過來給她必要的馬具。「我們要開始了。這是貝督因。你不認為他看起來很像奧立佛嗎？」

這匹馬是隻去勢的花斑馬。「當然。全都表現在臉上了。」

「正是如此。」

「多謝你們兩位，」奧立佛回答：「我會騎那邊的李奇，你可以騎爸的坐騎，史泰森。你認為你可以應付一匹種馬嗎？」

「他在喬治亞州長大——如果他騎不了，他哪裡都去不了。」蔻若蘭告訴他。肯察覺到她聲音裡有種諷刺的調子。

「我猜我必須證明這點，對嗎？」

他們放上馬鞍，然後讓馬小跑出去。在他們甚至還沒穿過大門、慢跑到海灘上的時候，蔻若蘭就用鞋跟重踢貝督因的脅腹了。這條小徑很狹窄，有著鬆動的岩石，只要馬兒踏錯一步，它就不太承受得起了。

「不是跟上就是落後，夥伴，」奧立佛跟上他妹妹的速度時喊道：「我很久以前就從蔻若蘭身上學到了。」

「我猜是這樣！」肯這麼回答，笑出聲來。他已經好幾年沒騎了，但跟他的新朋友，還有黑髮在背後飄動如絲帶的女孩沿著跑道競速的刺激洶湧而至。「你們有多常這樣做？」他在小徑與潮溼的沙子交會時叫道，而那些馬匹鼻孔裡聞到一絲微弱的狩獵氣息，就自己加快速度，全速奔馳。

「不是很常。只有在蔻若蘭的死亡慾望壓倒我的自我保存意識時，才會這麼做。」隨著這句話，他把鞋跟踢進他坐騎的側邊，刺激那匹馬完全離地，飛越一個涓滴流向海洋的細窄溪流。肯也這麼做，在他們三人拋棄所有警戒心時感受到歸屬的喜悅。他們現在全都注定同生共死。而他、奧立佛與蔻若蘭之間的距離開始一吋吋拉近。太陽熱烈燃燒，大海冒著泡沫，馬匹在噴氣，然後……然後隨著世界旋轉著進入騷動混亂與黑暗的時候，什麼都沒有了。

「他不是非常擅長這個，對吧？」

這聲音穿透黑暗而來。而在他逼著自己打開眼皮，對著光線還有腦殼後面重擊的疼痛皺起臉時，形狀似乎出現了。聲音屬於某個俯視著他的人。

一隻手伸向他。出於本能，他抓住那隻手。「我感覺好像從馬身上摔下來。」他嘟噥。

「你還好嗎，夥伴？」

「是啊，你看起來也像這樣。」

「我想馬匹在喬治亞跑比較慢。」蔻若蘭這麼評論。

「我們把牠們養成那樣。為了我們自己的安全。」吸氣很痛。吐氣加倍地糟。他設法搞清楚他是否弄碎了除了他自尊以外的東西。

「來點同情怎麼樣？」奧立佛警告他妹妹。

「由你來給。如果你沒辦法待在一匹馬上，你就不該上馬。」

「放這男人一馬。他的馬鞍鬆掉了。」奧立佛拉著肯站起身。「她總是這個樣子。」肯聚焦在他的馬身上，牠的馬鞍從側邊垂下。「你需要我帶你回家嗎？」

那樣會比落馬更痛苦。「我不會有事。」

「看到了吧，大哥？他不會有事。你別瞎操心了。」

「我不希望他告妳。」

「告我？」

「妳鼓勵他競速。」

「他是個大男孩了。」

就算他的頭在痛，肯還是被兄妹之間的爭執給逗樂了。這必定就是他們的生活——他猜他們的父親是個疏離的人，有他的政治生涯跟生意要經營。所以孩子們可能是被保母跟女僕養大的，仰賴彼此多過仰賴他們的父母。他們彼此相伴的樣子，相當不同於他們對待世界其餘部分的方式。「我會活下來的。」他告訴他們。

「我要帶你去急診室。」奧立佛堅持。

「我不需要醫院。」

「唔，你不需要搞出一場歌舞秀。」

「他應該要參演一場的。」

「我不——」

「我們要去。」

奧立佛開車載著他們到了考佛市的南加州醫院。蔻若蘭在她哥哥用一隻手扶著肯的手肘，幫忙肯進入室內的時候，揚起一邊眉毛，卻什麼都沒說。

「我沒問題。這沒有必要。」肯在告訴負責的護士他的詳細狀況時堅持。他知道可能有必要，不過他根本不知道他要怎麼付這筆錢。

「安心總比後悔好，夥伴。」

一位醫師來了，檢查他的眼睛，量了他的體溫跟血壓，對於肯的錢包來說，似乎是為了增加開銷而增加開銷。到檢查結束時，他被宣布可以離開了，得到一包總計一顆一塊錢的阿斯匹靈，回到接待櫃檯。「我要在哪付錢？」他問道。

接待人員看起來很困惑。「你想再付一次錢？」然後她望向奧立佛站著的地方。肯明白了，謝過了她。他沒感謝他的朋友，那樣只會讓他們兩個都尷尬。最好把這當成友誼中不說破的一部分。

第七章

他們回到屋子，肯設法自己下了車，同時試圖壓下他胸口的疼痛。車道上有另一輛汽車，蔻若蘭唇邊漾開另一絲微笑。

「我們的祖父在這裡。」奧立佛解釋道。

上了樓梯，肯聽到粗啞的英國腔從圖書室裡溢出。「……被當成冷酷。要強硬，對，培養那個形象。但不要當一個沒溫度的人。」那聲音說道。

蔻若蘭是第一個進門的，再來是她哥哥，肯殿後。出現在眼前的是一位眼中有火花的長者，坐在一張輪椅裡，膝蓋上蓋著一條毯子，不過他身上有某種東西說，如果他想的話，他可以一躍而起，跳個狐步舞。州長在他的桌子後面，仔細地聆聽。

「哈囉，我的女孩。」老人在蔻若蘭親吻他臉頰時說道。

「肯．庫里安，我祖父，西緬．圖克。」

「很高興能見到您，先生。」肯說著，並伸出一隻手。

「也很高興見到你，我的孩子。為什麼你跛著腳？」

「肯跟一匹馬打了一架。」

「看起來是那匹馬贏了。山金車酊劑，孩子。」他拍拍肯的手臂。「你可以在任何藥局買到。我觀察到你襯衫底下的腫脹跟瘀青正開始萌芽，這藥會有好處的。」

「祖父以前是醫師。」奧立佛解釋。

「我現在還是，」老人提醒他。「現在，孩子們，我需要跟你們的父親談一會。如果他想要受人歡迎，他對人的理解必須比現在多一點才行。」

「我們會在樓下。」

他們讓兩個男人去談。在肯自己下樓梯的時候，他再度聽到老人的聲音。「是的，人會投票給會做事的人。但他們會為他們想共度一整天的人拉票。你需要傳達出更多溫暖，並為其他人揮霍更多錢。他們喜歡那樣。他們會為此保持忠誠。」

「我父親最聽我祖父的話，勝過任何人，」奧立佛解釋：「以一個退休醫生來說，他確實很懂政治。」

「他似乎是個好人。」

「他是。他總是很慷慨。在他從英國過來的時候，他帶著他的僕人們一起來。他送他們的孩子去上學。甚至是他們的孫子。」他們到了一樓。「你會留下來吃晚餐嗎？」

「我無法。我需要回家去，在這些傷上面放點冰塊。」

「很合理。明天想過來嗎？」

肯試著在回答時不要偷瞄蔻若蘭。「我肯定會來。」

第八章

第二天是星期天，他們將時間消磨在釣魚上。奧立佛伸手扶著肯從直碼頭爬上他的機動汽艇。「小心啊，夥伴。在昨天之後你肯定都摔碎了。」

「好笑，真好笑啊。」

「你會一直這樣逗著他玩嗎，親愛的哥哥？」蔻若蘭穿著一件緊繃的紅色連身泳裝曬太陽。一頂寬邊草帽讓她的臉保持在陰影下。

「只在某些時候。」

「知道這點真好。」肯詛咒那場讓他成為友善嘲弄對象的意外。唔，也許她會栽進海裡。

「我差不多不痛了，感謝你們的關心，」肯告知他們兩人。「釣竿在哪？」

他找到一支，還有一個冰箱，裡面有個調酒器，裡面裝滿調好的柯夢波丹。

「你會幫我拿其中一杯嗎？」蔻若蘭問道。而他不可能忽略她的聲音降了半個八度，並且每小時慢了一哩。

「妳自己拿。記得，我殘廢了。」

奧立佛爆出大笑，肯替自己倒了很慷慨的量。後來，在她喝乾那紅寶石色液體的時候，她把她的高球杯放在他面前，他一語不發地填滿杯子，交還給她；他們兩人都確保他們的手指不會碰到。

這就是肯夢想過的那種日子：好朋友一起待在開放水域上，一部已經拍攝完成、準備變成實際有聲片的電影。在他搭上火車，沿著長長的鐵路離開波士頓的時候，他想像過像這樣的場景。他們也滿可能置身於夜總會或者賽馬場，不過基本元素——興奮、友誼——都是一樣的。他瞥向奧立佛。儘管陽光燦爛，一道陰影似乎橫跨過他的臉。

「你還好吧？」肯問道。

奧立佛茫然地看著他，就好像剛從一場夢中被喚醒。「喔，當然啊。很好，夥伴。」

「你心裡有事？」

「有事。」奧立佛注視著頭上的鳥兒們。

「什麼事？」

奧立佛回答得慢條斯理。「你有想過罪惡嗎，肯？」

這是個很沉重的問題。「罪惡？當成一種概念來想嗎？有時候會。不常。」這是拳賽之夜壓在奧立佛心頭的同一個主題。

「不，是不會，我猜大多數人不常想。」他摩挲著自己的前額。「我父親跟我……嗯，對於罪惡，我有很多話要說。」

「你對某件事有罪惡感嗎？」

「是的。」

「而你想要跟你父親談這件事。」

「我是想。」

「你試過嗎？」

「我已經開始了。那本書只是開端。」

他們背後的動作讓他們分心了。蔻若蘭站起來，伸出雙臂俐落地潛進水面下。她在幾碼外再度出現，轉過來仰躺在水面上，在日正當中的太陽下漂浮。

當肯回顧奧立佛的時候，陰影已經消失，他朋友臉上有個溫暖的微笑。「我替我們全部人買了明晚的《傷逝如她》[19]戲票。」奧立佛說。

「我以為票都賣完了。」

「我設法弄到了一些座位。」

肯猜想是很好的座位。

他們在傍晚回家。州長的政治聚會正要開始，十五個營養很好的男人拖著身體，從一輛接一輛開進車道抵達的黑色轎車上下來。其中有幾位必須有人幫忙才下得了車。

州長在廚房裡，在隆重登場以前多閱讀一些筆記。當他的兒子、女兒與他們的朋友進來時，他抬起頭。「再過兩分鐘我在這裡有個會議。」他說。

「跟誰？」蔻若蘭問道。

「勃洛斯。」

---

19 《傷逝如她》（*Mourning Becomes Electra*）是劇作家尤金．歐尼爾（Eugene O'Neill）的劇作三部曲，首演於一九三一年，內容重寫了古希臘悲劇《奧瑞斯提亞》（*Oresteia*），背景改成美國內戰後的一個富豪之家。

「他想要什麼？」

「我對他想要什麼不感興趣。我有個任務要給他。」

「關於四〇二？」

「沒錯。」

「那是個荒謬的法案，甚至不受歡迎。我告訴你放棄——」

「我的女孩，有時候呢，」他打斷她：「妳必須做不受歡迎的事。妳理解政治，蔻若蘭，但妳不了解責任。」

「責任？」

「天命召喚。我試著指導妳，但妳從沒吸收進去。四〇二法案是我的責任，我不會讓任何人阻擋我，或者讓我偏離道路。連我自己的家人都不行。」

蔻若蘭停頓了一下。「你希望我們離開嗎？」

他思索了一秒。「不，留下。你們在場對氣氛有幫助。」

肯不喜歡成為州長政治權謀的一部分，不管那權謀是什麼，他想找機會退場。在他找到機會以前，一個胖到背心鈕扣很緊繃的男人拖著腳步進了房間。

「州長。」這個極胖的男人禮貌問候。

「參議員。」參議員凝視著房間裡的三個年輕人。「我要求我的子女，還有他們的朋友庫里安先生在這裡等待，看看發生的事情。」圖克說道。

勃洛斯參議員冷淡地吸吸鼻子。他有來自另一州的口音。肯心想那甚至可能是他自己出身的喬治亞州。他會把較長的字句拆開來講。「先生，你想，幾個小孩，就能，恫、嚇、我、嗎？」

「我是個忙碌的人。我想立刻談公事。」

「公事？喔，當然了。」他挺直身體，讓他的頭頂抬高一吋。「總統不想——」

圖克揚起他的手掌示意安靜。「你是說羅斯福總統嗎？」

勃洛斯似乎被這個問題給搞糊塗了。「當然。他不想——」

「那個有小兒麻痺的？被小兒麻痺搞殘的？」這種敘述讓勃洛斯吃了一驚。「你聽說他從他的輪椅上跌下來嗎？徹徹底底。他在那裡，在泥土上到處踢著他的腿，就像隻快死掉的蟲子。」

圖克等待著。到最後，參議員必須給出一個回應。「總統有種醫學上的疾病——」

「不，先生，流感是一種醫學疾病。痛風是一種醫學疾病。因為小兒麻痺而殘廢是一個壓倒性的理由，說明他永遠不該被選上。」

肯回憶起奧立佛告訴過他，小兒麻痺曾經讓他小時候被困在輪椅上。肯斜眼瞥了一眼他的朋友。沒有明顯的反應。

「你這樣說是什麼意思？」勃洛斯質疑。

「我什麼意思？我的意思是一個無法自己站起來的男人，不該嘗試領導一個國家。一個有外部與內部敵人的國家。就像任何殘疾者一樣，他得到了我的同情，但他應該被禁止擔任公職。」

「你對總統健康狀態的個人感受不會改變任何事。他不會同意資助這種偽科學。這是——」

圖克再度打斷他，這次是直接越過勃洛斯的腦袋，對站在門口的一個男人說話。他看起來很仁慈，戴著非常厚的眼鏡，還有幾乎隱藏住兔唇的茂密鬍鬚。「進來，醫師。快進來，」州長說著招手要他進房間。「參議員，這位是阿諾．克魯格醫師。他從美國優生學會[20]來到我們這裡。醫師，參議員跟我剛才正在討論我們可以找到多少錢協助你的工作。」

「州長！」勃洛斯憤怒地喊道：「優生學運動目前正在歐洲各地開疆拓土，但我絕對不會讓它在這裡生根。」

圖克踏上前去，厲聲咆哮。「不要在我家裡拉高你的嗓門。這是我家族居住的地方，每塊磚頭都是我們的。一旦拉高你的嗓門，我就會讓你在街上被鞭打。」勃洛斯看起來怒火中燒，卻克制住了。「這樣好多了。現在，請理解這點：總統是身體有病的病人。絕對不該容許他爬到這麼高。然後我會告訴你某件事，並得到你對四〇二法案的支持。」

勃洛斯再也忍不住了。「為什麼我會那樣做？」

「因為如果你不做，我就會重劃並且扭曲這個州裡的每個選區，確保你永遠無法再踏進國會大廈。你能湊到一千張票就算幸運了。」

「我會送你去坐牢！」

「我會賭一把。你知道為什麼嗎？」

勃洛斯肥胖的形體開始憤怒地抖動。「為什麼？」

「因為神賜的科學會讓我們的土地轉型成一個國家。先生，羅馬的榮耀不是意外。那是育種。而現在我們有一種科學方法，可以確保那種榮耀。」勃洛斯瞪著那位醫師，醫師濃密的眉毛從他厚厚的眼鏡後面伸出。

肯跟他的朋友們那天晚上在房子下方的沙地上吃飯，在冒煙的炭火上烤著他們稍早抓到的沙鱸。沒有桌子，只有鋪在柔軟地面的布。州長跟他父親已經回到沙加緬度，所以只有他們在屋裡。

在他往後躺，把交叉的手墊在他腦袋下面的時候，肯感覺比他好一陣子以來還要快樂。洛杉磯是一場賭博，當然，而且大部分時候都是一場孤獨的賭博。不過在這個溫暖的夜晚，在沙地上，身旁圍繞著這些人，他可以看到自己在這個城市裡的未來。

「奧立佛，你在想什麼？」大約十一點，他們喝完他們的最後一杯以後，蔻若蘭問道。

「大半在想我的新書。」

「擔心會賣不好嗎？」

「也許我就只是愛擔心。」

「這不像你。」

奧立佛站了起來。「我想我要上床了，」他說。「肯，你今晚為何不睡在客房？詹寧斯會在八點到這裡，他可以送你回家。」

「多謝。」

「等到明天，我們可以談談我心頭在想的事情。我想，我們三個一起。這也跟妳有關。」

20 美國優生學會（American Eugenics Society）是真實存在的機構，一九二二年成立，在優生學這個名詞變得太不受歡迎以後，在一九七三改名為社會生物學研究學會（Society for the Study of Social Biology），二〇〇八年又改名社會生物學與生物人口統計學學會（Society for Biodemography and Social Biology），二〇一九才解散。

他告訴蔻若蘭。

「發生了什麼事？」肯問道。

「我需要你的意見。你的建議。」

「關於什麼？」

奧立佛猶豫了。「某種程度上是關於那本書。不過比那範圍更廣。」

「如果你想的話，我們可以現在談。」

奧立佛考慮了一下。「不，我會等到明天。無論如何，我想沉澱一晚再說。」他說道。他舉起一隻手告別，進了屋子。

蔻若蘭啜飲著她的伏特加馬丁尼。那霧濛濛的飲料有單單一滴掛在她嘴唇上，直到她的舌頭把它舔掉。肯用眼角餘光看著。

「這是個炎熱的晚上。」她往後躺時說道。

他點點頭。「沒錯。」他想要把她拉向他。不過在這一刻，他看不到機會。「在喬治亞會更熱。那裡有一百度。」

有一陣漫長的沉默，接著她打破了它。

「我相信是那樣。」說完這話，她就翻轉身體，站了起來。她追隨她哥哥的腳步，朝著屋子走去。「晚安。」她說。

「晚安。」在她跨過門檻的時候，他也站起來，手插在口袋裡，漫步著走向他過夜的房間。也許他應該豁出去，不管成不成。

他的房間寬而深，俯瞰著海灣。他脫掉他的襯衫然後躺下，抽著菸，有一會兒——他通常不會這樣，不過他們先前喝了幾杯——納悶地想先前發生了什麼事，壞了奧立佛的情緒。

一會以後，他在風中聽到一種機械式的哀鳴。拉開窗簾，他看到奧立佛的汽船靠近寫作塔。一個人型剪影在操作那蒼白的船，還有另一道人影站在他後面。發生什麼事？假定是奧立佛在掌舵，他必定花了點心思靜靜離開房子。

肯回到床上，在十到十五分鐘的時間裡，他想了更多當天發生的事，還有蔻若蘭穿著泳裝看起來是什麼樣子。不過他一直回想他看到的景象，汽船上的那兩個人影。

沒有別的辦法了。他必須探查。然而在他離開房間的時候，走廊另一頭的一個吱嘎聲讓他分心了。通往蔻若蘭房間的藍色玻璃門是開的。

他等著。沒有人來，沒有人說話。門開著是一種疏忽嗎？只是為了通風？為了別的事情？不可能說得準。他走向門。門跟門框之間的縫隙不到一吋，但風從一個敞開的窗戶透過來。出於它們自己的意志，他的手指觸碰了冰冷的玻璃，準備把它推開。但有個聲音制止了手指，讓它們停在半空中。那是個預期之外的聲音，而且帶著威脅的重量：一個像是遠處傳來的爆炸聲響。它在海灣那裡迴響了一次，兩次。肯分辨不出是什麼製造出那聲音，但在目擊船在大半夜朝著寫作塔迅速開去的景象之後，他知道有事情不對勁。

他衝回他房間往外眺望。塔是黑色的，背後襯托著紫色的天空。他奔向奧立佛的門，用力地敲。沒有回應。他把門扭開。

裡面的房間徹底整潔，床沒有人睡過。肯衝出去，穿過大理石舞廳，下到海灘上，瞪著外面的石頭建築物，現在襯托著月光下的天際線，看起來野蠻殘酷。然後他脫掉他的內衣，衝進波浪裡。

海浪冰冷而堅硬，而且比它們在白天時更高。他迅速穿過，用的是捷泳姿勢，在浮力舉起他又再度把他往下砸的時候短促吸氣。一碼又一碼，他越來越接近陸地的岩石前哨。一路上他心急地想知道，他在那個蹲踞著的石塔裡會發現什麼。

很快他的肌肉就因為使力而發痛，但他已經游得太遠而不能回頭了。接著他用雙手抓住了溫暖的岩石。汽船不在那裡，他注意到了。

踏進去的時候，房間一片漆黑，而他摸索著要找從屋椽上垂下的油燈，卻什麼都沒找到。他被絆倒在某個木頭物體上，而他的腳碰上一個響聲像是金屬的物體——那盞油燈。靠著盲目在桌上摸索，他發現了一盒火柴，以此點燃燈焰。油燈嘶一聲活過來，把黃色光線拋向房間、書本、家具；然後落在奧立佛．圖克毫無生氣的屍體上，他坐在他的寫字桌後面，背向牆壁，他的脖子被一顆子彈撕成碎片。肯感覺所有空氣都離開了他的肺。

他見過死屍一次，但那是他祖父躺在一具棺材裡，穿著他最好的西裝，而且他的雙手俐落地緊扣著，就好像他試圖在約會時看起來體面。十歲的肯，帶著差不多只是一個小孩的好奇探究之心看著那具平和的屍體。

現在他瞪著他朋友的形體：生命從中被剝奪，曾經推動它的血液散布在書本上、被拋向風中。桌上有個小左輪手槍，就在那隻扣了扳機、撕裂一個男人喉嚨的手上。

「耶穌啊，奧立佛。你做了什麼？」他問道，想要得到答案。他站在那裡好一會，可能是一分鐘，可能是一小時；想知道為什麼。就只有為什麼。

還有另一個人會需要知道為什麼。蔻若蘭，在她有藍色門扉的房間裡熟睡。他根本不知道他要怎麼把這個消息告訴她。他能做的就只有轉身，為這趟朝向海岸，冰冷、痛苦的回程做準備。肯對那一度曾是人類的東西投去最後一瞥，走向門檻。

當他這麼做的時候，他的眼睛注意到某樣東西：角落裡的寫字桌櫥櫃。它裝著那些一邊封面是短裙女子，另一邊封面是深色外套男人的廉價小說。在那堆書頂端是《沙鐘》，奧立佛寫的這類詭計書力作。他在當晚稍早說過，他必須跟肯還有蔻若蘭談到的那一本。現在他永遠無法談論了。

肯還沒有機會買一本，因為拍片與工作擠掉了他的白晝生活。如今他打開它，再讀了一次第一句話。「西緬．李的灰色眼睛從……」他翻過來。如同奧立佛所說，他的故事跟另一個作家的故事被配成一對，某個普通的鬼故事，標題是《瀑布》。

奧立佛為什麼會需要肯對於那本書的建議？而且為什麼他沒有當時當場就要求建議？很有可能這件事很重要；對於奧立佛最近的心理狀態，這本小說會給出一條線索。但這必須等一等：蔻若蘭在屋裡，他得帶著痛苦的消息回去。沒有機動汽船，他只能游回去，而他不可能拿著那本書。他必須把書留在這裡。

他準備好要使力了。他的身體記得那種冰冷跟洋流的拉力，他潛入的時候緊繃得像石頭。又爬又踢地回到海岸，最後終於把自己拖上沙地，他呼吸沉重，這一舉拿走了他儲備的所有精力。在他的視野邊緣，沿著海灣幾百碼處，他看到他很確定是那艘汽艇的東西，停在海灘上。洋流可能把它帶到那裡了。

或者有人開著它到岸邊，然後棄船。

他穿上他的褲子，匆忙穿過舞廳跟入口大廳，走上白色大理石樓梯，一路走向蔻若蘭的房間。這一路上，他知道這裡已經變成一棟不同的房子，不是他曾經度過歡樂時光的地方了。

她的門還是開的，在微風中飄蕩，就好像房間本身在呼吸。他的手把門推開。

「哈囉，肯，」他一進來，她就輕聲說道，好像她一直在等他。而在藍色的月光下，他看見蔻若蘭在床上翻過身來面對他。她穿著某種用海藍色星星裝飾的絲質衣服。他沒有回答，而是上前一步。「沒有話要說？沒有邀請。就這麼走進來？」她的嘴唇捕捉到一閃而過的光。

「肯？」

「蔻若蘭。我很遺憾。」

「遺憾什麼？」

「出了事情。」他坐在床緣。他可以分辨出她現在的表情：狐疑，覺得有趣。她等著他繼續，而他尋找著語言，想要軟化他即將帶給她的打擊。他痛恨這種事在此時此地，像這樣發生在他們兩人身上。但到最後，他只能直接了當。「奧立佛射殺了自己。」

就算他這麼說，他還是暗自懷疑這是不是真相；但現在不是時候。

她身體一縮，就好像他剛才打了她。然後她猛然坐直。「什麼？你是什麼意思？」

「他死了。我很遺憾。我在寫作塔裡發現他。」

她掀開被子。她深呼吸兩次，深吸到她的核心裡，然後穿上一件掛在一張椅背上的翠綠色綢緞和服外套。她冷靜地開口。「你被騙了。他沒有死。這是某種惡作劇。」

一個惡作劇。不，不，如果那是真的就好了。

「我很抱歉，但我看到他了。」

「他沒有理由做那種事！」她咬牙擠出這句話。她大步走向窗簾，大把它們拉開。月亮，一把蒼白的鐮刀，在前方死氣沉沉，讓乳白色的光落在海中的石塔上。她指著塔。「他還在那裡？」她問道。

「是。」所以，至少她接受了。

「我要他回到這裡。我要你把他帶回來。」

「我不能。」

「為何不能？」

「我們必須通知有關單位。叫救護車。」

「現在那樣做有什麼好處？」她冰冷地質問。

「這是我們需要做的。」

她轉向他。她的眼睛死盯著他的。「奧立佛絕對不會做這種事。」

他可以感覺到他身體上的鹽，聞到空氣中的汗水。「我會叫警察。需要通知他們。」

她注視著他離開。

一輛沒有標示的警車花了二十分鐘抵達這棟房子。「傑克斯警探，」一名粗魯的警官用自我介紹的方式說道。他五十來歲，身體已經變得衰弱，他用鉛筆搔抓著他留的鬍子，就好像在替幾塊禿掉的地方染色。「他在哪裡？」在向他解釋屍體位置的時候，他驚訝地問道。肯現在穿好衣服了，帶著他到海灘上，指了出來。「耶穌在上。見鬼了要怎麼到那裡？」

「機動汽船。」肯指向船。

傑克斯再度咒罵。「好吧。警方救護車在路上了。你知道怎麼開那玩意嗎？」

「當然。不過……」

「不過怎樣？」

某種感覺讓肯抬頭看向房子。蔻若蘭黑暗的身影往下盯著看，她的手指之間夾著一根發亮的香菸。她把布幔拉過去，消失了。

「我隨後會告訴你。」

「隨你的意。咱們動身吧。」

他們動身了。而很快他們就切過波浪，爬上變成奧立佛．圖克之墓的岩石上。肯讓警探先走。油燈仍在燃燒，房間還是他離開時的樣子：充滿威脅，而且血腥。

傑克斯仔細觀察現場，然後往回看，揚起了他的眉毛。

「是啊，我知道。」肯嘟噥著。

「他有做或者說任何事，暗示他會這麼做嗎？」

「什麼也沒有。」

「唔，」傑克斯聳聳肩。「真相是，沒有多少人會留下暗示。對大多數人來說，就是『他心情似乎有點低落，但沒有糟到會自殺』。」他頓了一下。「我對你的損失感到遺憾。」

這句話很空洞。肯不相信傑克斯警探對他的損失有任何一點遺憾。不過這是形式，就像在室內拿下你的帽子。

「所以我們現在怎麼辦？」

「唔，就我目前所見的，沒有任何可疑的事。武器就在那裡，在他手底下。現在我們只要把他帶回陸地上。我對你的損失感到遺憾。」

「是啊，你說過了。」他不在乎他的語氣聽起來很粗魯。

「我們可以等救護車出現，用跟我們相同的方式過來。不過老實跟你說，這樣不會比我們自己直接帶他回去更有尊嚴。但這是你的選擇。」

既然有這個選擇，似乎更有敬意的做法是他們自己帶著奧立佛回去，而不是看著他被這一週可能就抬過另外五具屍體的陌生人帶走。甚至可能是這一天就抬了五個；畢竟這裡是洛杉磯。

所以他們把他抬起，進入那艘小船，往回朝著岬角前進。在他們這麼做之前，在傑克斯背轉過身的時候，肯拿起了奧立佛．圖克最後的故事，《沙鐘》，塞進他的外套內側。小小的懷疑像螞蟻似地爬進他心裡，他想知道那本書裡有什麼——他不確定那個警察會理解。

一上岸，他們就把死人放在他床上，床單拉到他下巴，以便隱藏子彈破壞造成的暴力。彷彿現在這點很重要似的。

到蔻若蘭房間的時候，她坐在角落的一張扶手椅上。「妳想看奧立佛嗎？」他問道。沒說一句話，她就走向她哥哥的臥房，凝視著屍體，又回到她自己的房間。

「警探。」在他們下樓到廚房的時候，肯開口了。現在該說出他先前看到的事情了。

傑克斯在他的筆記本裡寫些東西。「是？」他沒抬頭。

「我想我看見兩個人外出去了那裡。」

「你什麼意思？」他還專注於他的筆記。

「在船裡。當我看到那艘船外出的時候，我想裡面有兩個人。」

他停頓了。「你想？我是說，你確定嗎？」

肯閉上雙眼，把那幅影像拖出來，明若白晝。「我確定。我看到兩個人。」

傑克斯若有所思地用他的鉛筆敲著他的筆記本。「怎麼會？你們這裡晚上有太陽啊？」

「有充足的月光。」

傑克斯看起來像他嚼了某種發酸的東西，他回去寫字。「月光不算什麼。」

肯嘗試另一招。「他替我們所有人買了明晚一場戲的戲票。計畫了結自己性命的人會做那種事嗎？」

「我不是心理醫師。」

「但如果——」

「聽著。」傑克斯闔上他的筆記本。「你似乎在暗示這裡有不正當的事情發生。嗯，我聽到你說的了，但這裡沒有任何事情說明狀況就是這樣。你自己說圖克先生昨天晚上似乎不開心，他外出到他蓋在一堆石頭上的這棟瘋狂外圍建築去——順便一提，我根本不知道那怎麼會合法——而且他用的是他自己的槍。」

「你怎麼知道那是他的？」

「什麼？那把槍？」

「對。」

「沒理由認為那不是。」

「這樣還不夠好。」

「還有子彈的角度。」他用他的鉛筆示範。「它穿過脖子然後從旁邊出來。如果是別人射的，他就必須坐在受害者腿上了。」

「你無法確定這一點。」

「好吧，好吧。」他把筆記本跟鉛筆放進他的內側胸前口袋裡。「我對於這起事件的意見，是以二十五年警探經驗為基礎。因為在這麼長的時間裡，我從沒看過一把刻意安排的假槍，或者一樁自殺案不是它表面上的那個樣子：就是一個不快樂的男人，有一了百了的手段。而且我很遺憾。我真的很遺憾。但對於這些事實，我們愛莫能助。」

「你能夠查驗它的指紋嗎？」

警探安靜了一會。「聽著，庫里安先生。我們可以那樣做。我們可以試著追蹤回製造商那裡。我們可以從這裡到提花納，一路敲開每一扇門，去問人有沒有看到任何事情。但我坦白告訴你：我們不會的。因為這件事完全沒有任何可疑之處。」

門鈴響了，肯出去發現警方救護車來了。司機為這趟路花了這麼長時間致歉，並且解釋他們沿途經過每間房子都得停下來問路，因為以神之名，他根本不知道他在哪裡。然後屍體被帶走了，傑克斯開車離去，只有肯跟蔻若蘭在沙鐘屋裡。他在她房間裡找到她，穿著她有海藍色星星的絲質睡衣回到床上。

「他們全都走了。」他說。

「我知道。」

「妳想要我打電話給妳父親嗎？」

「你不認為這通電話應該由他見過不止兩次的人來打嗎？」她拒絕得很不客氣，以現狀來說，他不會怪她。

「我會回到我的公寓去，不打擾妳。」他說。

他收拾他的幾樣東西——他的皮夾，他的鑰匙——並叫了一台計程車帶他回城裡。在他壓低身體坐進車裡的時候，有一會以為計程車有台收音機，正慢騰騰地在播送著鋼琴曲。他打算叫司機關掉，但他接著領悟到音樂是從屋裡傳來的。蔻若蘭在彈舞廳裡的那台白色平台鋼琴。某種歐洲式的陰鬱曲調。

第九章

他在大約六點爬進他的床，躺在那裡瞪著天花板，不時聽見隔壁房間的夫妻吵架。他們也比平常更早醒來。毫無疑問，是熱氣逼迫他們離開他們悶熱的床。

那名警探，傑克斯，很確信這是自殺。肯憎恨這點，他唯一且真正的朋友突然終結性命的念頭，嘗起來就跟海水一樣苦澀。不過他需要客觀地看待此事，因此他嘗試想出一個奧立佛可能這麼做的理由。當然，他沒有金錢煩惱；他的作品很暢銷；而假設他有負債，他還可以向他父親討現金。

失敗的戀情？完全看不到奧立佛暗中與人有染的跡象。他甚至對女孩子不怎麼感興趣——順便一提，對男人也一樣。

而且這一切都沒考慮到肯腦中的畫面：兩個男人搭著那艘汽艇出海。當然，天色很暗，但他看到他所看到的東西了。所以問題是：誰是那第二個男人，還有他們在那裡做什麼？

唔，肯從現場順走的一樣東西可能有幫助。奧立佛說過，他有心事，某件他需要跟肯還有蔻若蘭談的事，跟他的新書有關。

結果《沙鐘》是個有催眠術效果的故事，講的是一名英國醫師在上世紀的艾塞克斯郡，調查他親戚們的死亡事件——奧立佛說過，他的家族就是來自那裡。故事情節發生在海岸上的一棟奇特房屋裡，那裡在海潮影響下跟內陸隔離——而那裡跟這個家族的加州地產有相同名字：

沙鐘屋，所以那肯定是圖克家的祖厝。然而另一個關聯是，那名醫生跟奧利佛的祖父，西緬同名；其中一個角色甚至用了奧立佛自己的名字。肯發現故事裡有些殘酷事件。翻閱內容時，一名女性承受的苦難非常明顯。

我察看角落裡的時鐘。「幾乎一小時了。她不可能再撐太久。寒意肯定會滲進她骨頭裡。」我闔上書本，拿下我的眼鏡，這樣我才能更專心。她哭嚎的聲音再度揚起。那聲音曾經很憤怒，然後變得哀怨，現在則在表面上很有威脅性。

這很古怪，但書裡甚至有個故事中的故事，是一本灰暗的中篇小說，叫做《黃金原野》，內容是一個加州家族住在完全用玻璃做成的房子裡。故事的敘述者在尋找他母親的死亡真相，但那個故事只出現了幾個簡短的片段。那些片段描述了跨越大西洋的一趟海上旅程，無名敘述者的自我懷疑，最後則是對一宗恐怖犯罪的復仇。

肯開始從頭讀起，不過全程他都在尋找言外之意。他讀到三分之一處都還沒找到半個解開謎團的關鍵，只有他的鬧鐘震天價響起來。現在八點，該起床去報社上班了。他全無心情這麼做——哎，他幾乎無法忍受——但考慮到他為了在電影裡跑個龍套而請假的大量時間，他的工作已經岌岌可危。書被放到他的床邊桌上。

所以，在九點半——遲了，但還不是遲得誇張——他坐在他位於《時報》廣告行銷辦公室的木頭椅子上，心思轉得飛快。肯突然想到，如果他想追根究底，找出奧立佛到底發生什麼事，他生活中有一兩個奇怪或者根本就很可疑的面向，應該要加以探查：一個就是奧立佛替皮爾斯・貝倫繳保釋金的未知理由，這樣肯就必須找到那條亂吠的狗；另一個是圖克家的第一宗家庭悲劇。他拿起電話，要求內部接線生替他接到圖書室部門：報紙過刊與每個新聞主題檔案的保管者。

「圖書室。」

「哈囉。我是肯・庫里安。我想看一九一五年一宗誘拐案的報導。」他給出奧立佛・圖克州長跟他孩子們的名字。

「好。我們會花上兩小時左右。你在哪個部門？」

他知道這有可能導致失敗。「我在分類部門。」

「哪裡？」

「分類廣告。」

一陣短暫停頓。「那你見鬼了幹嘛要剪報？」

他已經準備好一套故事。「一位潛在廣告主要出版一本關於本州古老犯罪的書。我說我們會幫忙。這是個很有利可圖的合約。」這個故事很糟。

另一個短暫停頓。「好，」這聲音勉強讓步，帶有一種清楚的惱怒語調。「兩小時。」

「多謝，」他說道：「還有一件事。」

「現在又是什麼？」

「你能看看檔案裡是否也有關於奧立佛・圖克，那位作家的任何東西嗎？」

「什麼時候？」

肯不確定。「任何時候。」

線路另一頭的聲音聽起來並不高興。「你是要我檢查有史以來的每一期嗎？」

「最近十二個月的如何？」

「好吧，好吧。」

四小時後，一名分發員[21]把一個紙箱放到他桌上。裡面包含《洛杉磯時報》一九一五年詳述這宗犯罪的過刊；第一份是在十一月二日。

玻璃鉅子奧立佛．圖克的幼子從位於英格蘭的祖宅被綁架以後，警方已經開始追捕犯人。

這名男孩，四歲的亞歷山大，從他母親佛羅倫斯手中被兩名吉普賽男子搶走。他們襲擊她的時候，圖克太太與他的長子，五歲的奧立佛，正在花園裡散步。英國警方猜測這些男子可能有其他共犯。該家族正在等待來自罪犯的勒贖要求或其他類似的通訊。

這一家人原本在艾塞克斯郡的建築中，與圖克先生的父親，一八八三年移民至加州的西緬一同渡過夏天。

艾塞克斯郡警察局督察馬龍．朗表示，他的人馬將會不眠不休，直到男孩與家人團聚為止。

佛羅倫斯。這名字讓他坐直了身體。他先前不知道那是她的名字，奧立佛的故事裡有個女人沿用了她的名字。這肯定有某種意義。

下一份過刊是兩天後。

警方在恐怖的亞歷山大·圖克綁架案中曾經搜查英國艾塞克斯一帶的吉普賽營地，尋找失蹤的幼兒。超過五十名男性被帶進警局訊問，而雖然有三個人被控無關的其他罪名，一位警方的消息來源仍表示，英國警方依舊未能掌握男孩的行蹤。他的父親，奧立佛·圖克，玻璃製造公司的創辦人，懸賞一萬美金，給能提供消息讓男孩安全歸來的人。

這篇文章還附上一張家族肖像的照片。肯以前見過這張畫：就掛在沙鐘屋圖書室裡。這裡，在粗糙的報紙印刷下，這張畫附上的圖說是：「圖克先生及其妻佛羅倫斯，以及他們的子女，五歲的小奧立佛，四歲的亞歷山大，以及一歲的蔻若蘭。」

21 分發員（copy boy）是傳統報社裡的最基層員工，負責把記者打字好的文章送到文字編輯辦公室去影印製作副本，然後再分發這些副本到其他部門；直到二戰後的二十年內這個職位都還存在，後來才消失。（他們本人並不負責製作副本，只負責分送。）

檔案裡有其他的報導，不過它們只是推測，或者什麼都沒說的現狀更新——直到一年後的一則報導才改觀。

> 發生悲劇的圖克家已經離開英格蘭，回到他們位於洛杉磯杜姆角的家。自從四歲的小亞歷斯被綁架後，這一家人一直藏身於大不列顛東岸、艾塞克斯郡小島上的祖宅裡，緊閉著百葉窗。奧立佛・圖克提出越來越高的賞金，徵求關於男孩下落的資訊，現在賞金已經達到三萬美元的鉅款。然而徒勞無功。他們的返國指出，他們現在已經放棄再度見到可憐的小男孩活著現身的希望。

還有最後一則刺眼的剪報。一篇一九二〇年的報導直接橫跨整個版面，頭條如下：「家族詛咒再度襲擊圖克家，*母親溺斃*」。

> 佛羅倫斯・圖克，玻璃鉅子奧立佛・圖克之妻，在全家到英格蘭度假，造訪他們位於艾塞克斯郡海岸雷島上的家族宅邸時溺斃。對外人來說，這個家族似乎被詛咒了，五年前在同一地點，他們的幼子亞歷山大被誘拐，據信已遭謀殺。圖克太太據報先前徒步穿越一處泥濘的堤岸，殘酷的海潮在此時上漲，淹沒了她。根據友人說法，她丈夫「悲痛欲絕」，而且正在盡全力安慰他們夫婦僅存的子女，十歲的小奧立佛，還有六歲的蔻若蘭。

在一位嬌小婦人為一個舞會之夜盛裝打扮，黑髮散放在肩膀上的朦朧照片底下，報導繼續。

> 圖克太太是社交界的美女。她生於紐約，閨名佛羅倫斯·德·瓦爾，是一位印象派風格的優秀水彩畫家，並主持藝術沙龍，她在婚後安定下來，成為藝術贊助人。近年來她組織策劃了西方前線的藝術家作品展。某些作品有爭議性，激起了失敗主義與道德墮落的指控。

在箱子底部，是唯一一則關於小奧立佛·圖克的近期報導。那是來自社交版，一位匿名作家把這位「炙手可熱的年輕作家」，跟這場或那場派對裡的兩三位「火熱小明星」連在一起。

> 但朋友們，別認為奧立佛·圖克的人生就是一張玫瑰花床。你們可能記得二十年前的圖克綁架案——他弟弟被誘拐，從此沒再出現。他母親在幾年後死於心碎，為了她失去的男孩憔悴而死。所以奧立佛這樣炙手可熱，是因為他能寫出犀利的句子，還是因為他的家庭不良名聲，還有陽光親吻過的美好容貌？他的星星會持續高升，或者他會被踢出夜空之外？只有時間才能證明。不過你們知道要到哪才能發現！

*耶穌基督啊，這真是極盡剝削，*肯如此暗忖。*放過這個人吧。*

他若有所思地用手指敲鼓似地敲著桌子，這時他老闆回來了。「嘿，喬治。我感覺不太舒服。」他說道。

「出了什麼事？」

「我吃錯東西。我想，我必須回家。」

「如果你早退是為了去你的某場電影試鏡……」

「不是。我病了。」

喬治拇指一翹，比向出口。「好，明天早點進來彌補，如果你可以的話。」

「好。」

肯穿上他的外套，就在這時電話急促尖銳地響起，喬治接了。「分類廣告部。」一陣短暫停頓，然後喬治把話筒伸過來。「找你的。」

肯接過話筒。「哈囉？」

「哈囉，肯。」

他認得那聲音。極少女人會打電話給他：一兩位祕書，就這樣。這個聲音比她們年輕三十歲。「蔻若蘭。」

有一陣輕微的猶豫。「你可以跟我見面嗎？」

基於某種理由，他不確定該如何回答。然後形式接管一切，畢竟她是個哀悼中的妹妹。「當然。哪裡？」

喬治抬頭看，他的眉毛如今糾結在一塊，就好像他剛剛聽到某件他不了解卻不喜歡的事情。肯假裝沒看到。

「在羅迪歐大道有個酒吧叫做遊艇俱樂部。半小時後見。」

「我可以到。那裡見。」

她掛斷電話，他也照做。

「覺得好些了嗎？」喬治諷刺地問道。

「她哥哥昨晚過世了。」他回答。他瞥見他桌子旁邊的剪報堆。他希望喬治不會瞄到，否則事情可能會看起來很奇怪。

「好吧好吧，你就去吧。可是將來別再沒病裝病了。我又不是食人魔。人必須彼此照顧。」

「當然。」他走出去的時候有一點罪惡感。

第十章

結果那酒吧是充滿了電影人的高檔地方。幾名想當女演員的人單獨坐在吧台，慢慢啜飲著要價過高的酒，希望被人發掘。

蔻若蘭穿著一件緊身黑色連身裙，戴著周圍扭著一圈絲帶的藥盒帽。「感謝你來。」她很公式化地說。

「不客氣。」他感覺到一股衝動，想讓一切沒那麼公式化，但他克制住自己，向一位服務生示意。「今天早上發生了什麼事？」

「我去了停屍間正式指認他。我父親會安排葬禮。」她喝著裝在高球杯裡的薄荷茱莉普。

「土葬？」

這個詞彙讓她微不可察地瑟縮了一下。「我們有個家族墓地。奧立佛並不虔誠，我也是，所以說真的，在哪裡或者怎麼做看來幾乎不重要。」這是真的嗎？就算是那些再也不理睬神，神也不理睬他們的人，也在乎他們在哪裡長眠。她停頓了一下。「他最近很常講到罪惡。」

「他也向我提到這個。這是什麼意思？」

「他的良心有某種負擔。我不知道。」她喝光了她那杯，又點了一杯。

肯就直接說了，儘管這些話很沉重。「所以，妳認為他是自我了斷嗎？」

她用淡藍色的眼睛凝視著他，然後從一包納特．雪曼[22]香菸裡敲出一支。「你有理由認為不是這樣嗎？」她的聲音沒有顫抖。

他在這裡或那裡收集到一些細木刺，但加起來還做不了一根安全火柴。「有一兩件事情，」他說道。「他看起來並不沮喪；至少對我來說不是。妳知道他有槍嗎？」

「不，我不知道。」

對於妳的哥哥，這種事情妳是會知道的。但他現在暫時把這個想法存起來。「所以那可能甚至不是他的。」

她毫不退縮地喝掉半杯金棕色的茱莉普。「可能不是。」

「而且我看到兩個男人搭那艘船出海。」

她停下把菸拿到唇邊的動作。他仔細觀察她的反應，試圖確定那是什麼。「到他的寫作塔去？」

「對。」

「你確定嗎？」

「我確定。但我必須告訴妳，傑克斯警探不信。他認為天色太暗看不到。」

「那你對此的回應是什麼？」

「那時有月亮，光線充足。」

她用嘴唇包覆著那隻菸，往旁邊吹出一行煙。「這不算是證據確鑿。」她回答。

「確實不算。」

「所以我要基於信任，接受你看到了你認為看到的事情？」

「我猜妳必須如此。」他注視著她再度舉起她的酒。「我調出《時報》刊登過的關於妳哥哥亞歷山大的報導。他的誘拐案。」

隨著一閃而過的苦澀情緒，她把她的酒重重放在鍍鋅的桌子上。「哇，你真是個小偵探喔？」她再度讓自己冷靜下來。「那是很久以前的事了。」

「妳是否——」

「我那時才一歲大。所以不，我什麼都不記得。」他們之間的氣氛很沉重。

「幾個月前我去了那棟房子裡的一場派對。一個叫做皮爾斯．貝倫的男人載我回家——或者說，他本來這麼打算。他在路上的一間餐館裡攻擊一名有色男性，而我們到頭來反而去了警察局。奧立佛把他保了出來。」她聆聽著，沒有反應。「但真正怪誕的事情是，貝倫打電話給他的時候，說了個詭異得不得了的話，他說奧立佛最好快去那裡繳保釋金，否則……奧立佛永遠不會知道他發現了什麼。」

她沉思著把菸灰敲進一個玻璃菸灰缸裡。「我們應該跟他談談。」

「同意。」

不過，首先他們必須找到他，因為肯沒有貝倫的聯絡方式。

但某人有。

「你他媽的把我扔給那頭豬！」葛羅莉亞在電話線那頭大叫。肯跟蔻若蘭在大廳的電話

22 納特・雪曼（Nat Sherman）是一九三〇年在紐約創辦的高級香菸與手工雪茄公司。

亭，話筒沒被震碎真是奇蹟。他從警察局那個會誘發神經痛的夜晚以後，就沒跟葛羅莉亞說過話了。

「妳當初想跟他走。」

「不，我沒有！我見過他兩次。不，在那之後三次。就這樣。我以為他是個很厲害的製片。」

「所以他其實是什麼人？」

「他是什麼人？他替他媽的政府工作，」她冷笑著說道：「我想是國務院。你想跟他講話，就打去那裡找他。」她掛斷了。

國務院。外交事務。也許跟這家人在英國的時期有某種關係。奧立佛弟弟的失蹤案。也許。在討論過這個資訊，又經過兩次華盛頓特區的電話總機轉接之後，肯跟貝倫接上線。

「哪個肯？」他哼了一聲。「喔，派對上的。你有看到那黑鬼對我做了什麼，我——」他氣急敗壞地說道。

「你有聽說奧立佛的事嗎？」肯打斷他。

「圖克？聽說那蠢蛋什麼？」

「他死了。」

一陣停頓。「什……怎麼會？」貝倫聽起來是滿懷恐懼，而不是震驚？是啊，也許。

「他死在他那棟離岸的石牆建築裡；他會過去寫作的那一棟。死於槍擊。」

「耶穌基——」聽起來像是他剛看到有人一手拿著皮革包金屬棍棒，一手拿著絞索靠近他。不過肯沒有心情哄他了。「告訴我，皮爾斯。」

另一個停頓。接著是拉長了聲調的疑慮。「告訴你什麼？」

「告訴我你有他什麼把柄。」

猶豫。「什麼都沒有。」

「跟亞歷山大有關嗎？」

「亞歷山大？」他嗤之以鼻。「不，這跟亞歷山大無關。」他說話的方式裡透露了很多。但他的自負也在扯他後腿，因為這提示了肯接下來往哪進行。

「所以是跟別人有關了。跟他關係親近的別人。」肯說話時，不自覺伸手摸向他外套口袋裡的那本書，撥弄著頁面邊緣。書裡有件事情讓他經常思考。是關乎其中一個角色被賦予奧立佛亡母的名字。而且在給奧立佛的電話裡，貝倫曾經諷刺地模仿一個驚恐女性的聲音。「是跟佛羅倫斯有關，對嗎？」靜默。有罪的靜默，當然。肯可能是在半瞎狀態下射出一箭，卻正中紅心。「你對他隱瞞了關於她的什麼事？」

他的聲音變得憤怒。「你這混帳，我——」

「你掌握了某種他想知道的，關於佛羅倫斯．圖克的事情。而我猜你是透過你的工作取得的。所以告訴我那是什麼，要不然我就通知你的上司，你一直在辦公時間做些小小的兼差。」

線路上有個長長的嘶聲。「他想知道……她怎麼死的。確切來說怎麼回事。」

他看到蔻若蘭身體微微一僵。

「她溺死了自己。」肯說道。報上的報導清楚如白晝。

「不過就是這裡有問題，」貝倫回答。肯可以感覺到某種東西就要穿過酒吧了，是一輛煞車失靈的貨運火車。「他們有份死因審理報告。我要來一份報告副本。把它轉給圖克。」

「上面說什麼？」肯催促他。

「是陪審團……」他沒把話說完。

「他們怎樣？」

「他們……」他又猶豫了，就像是吐露這些事實可能有何後果的恐懼，在他心裡發酵了。

「說啊。」

「他們……裁定存疑判決[23]。」

什麼來著？「存疑判決是什麼見鬼的意思？」

「這表示他們起了疑心。一位證人，管家什麼的，說圖克太太那天相當開心。拿著她的繪畫工具出來，打算作畫。看起來不像是要去了結自己。」肯瞥向蔻若蘭；他希望這些話對她來說不會太難受。「陪審團認為這可能是個意外；也可能是自殺。也可能是……別的。它是這個意思。」

也可能是……別的。這句話滲進心裡。蔻若蘭聆聽時唯一的反應，就是額頭低下來一點點。這是肯看過她最情緒化的樣子，而那並沒有透露太多。

「你還知道什麼別的？」肯問道。

「沒什麼。零。我花了很長時間才拿到那個。而且我想要——」

肯掛斷了。很明顯貝倫想要盡他所能地敲詐奧立佛。

在將近一分鐘時間裡，蔻若蘭瞪著房間對面的男性電影人跟只有他們一半年紀的女孩子。她說話了。「一陣子以前，奧立佛消失了一會——我猜有一個月吧。」

「妳認為他去了英格蘭？」

「回來的時候，他很……疏離。」

「他在那裡發現了某種東西。」

「我會這麼說。」

她把帳單掛在她帳上，離開了俱樂部。肯跟著她走到一塊空地，那裡可能會在一年之內蓋起一棟建築物，但就現在來說，這裡只有草叢跟遊民。肯給她一點空間。「肯，你怎麼想？」她沒看著他就問道。

「你父親從沒對她的死亡表達過任何懷疑嗎？」

「當然沒有。」

「那我想我們有很多事情需要知道，」他回答。「而我們站在這裡，是不會發現的。」

她理解。「你認為我們需要去英格蘭嗎？」

「是啊，我這麼認為。」

她伸手到她的皮包裡，拿出一根新的納特．雪曼，用一只電子打火機點燃它。她把三道長長的煙吐進空氣中，才再度開口。「我很久沒去那裡。」她停頓了一下。「我恨那棟房子。」

「告訴我關於它的事情。」

「你想知道什麼？」

「從頭開始。」

---

23 存疑判決（open verdict）另譯為死因不詳判決，意思是死者的死因不明，也有可能牽涉犯罪。根據英國制度，對於可疑的死亡會召開驗屍官陪審團調查死因。

「我祖父從某位遠親那裡繼承那棟房子。他——」

「等等，這是真的？」

「你是什麼意思？」

這似乎跟此刻的所有一切一樣瘋狂。「在奧立佛的書裡，有個英國醫生名叫西緬，繼承了他叔叔的房子。」

「有嗎？我還沒讀到。奧立佛要求我現在先不要讀，但不願告訴我為什麼。他說他會在我可以讀的時候告訴我。」

這本身就很奇怪，非常奇怪。

「告訴我在沙鐘屋裡發生什麼事。在英格蘭的那一棟，」肯說道：「那裡真的有一具埋在爛泥中的屍體嗎？」

她好奇地看著他。在她看來這一定很荒謬，一個外人竟然知道她家族裡的某些祕密。

「對，確實有。我祖父在我們大到可以理解的時候，就告訴我們了。」

「那麼就是這個故事。那就是《沙鐘》裡的故事。雖然奧立佛改了你祖父的姓氏。」

對於這個揭露，她發出嘲諷的笑聲。「我們偉大的家族傳說。不過不只是個傳說，我確定它是真的。我想我父親有點驕傲自己是那種家系的後裔——所有偉大家族之中，都有一點謀殺與瘋狂在內，就像中世紀的教皇們。一切全都從我祖父開始：他繼承那棟房子以後，在那裡住了一陣，後來才來到這裡。」

「有個叫佛羅倫斯的女人被囚禁在那棟房子裡嗎？在故事裡，她是西緬的叔叔的弟媳。」

「對，那裡是有個女人。不過她並沒有我母親的名字。那是奧立佛的選擇。」

他深思著點點頭。奧立佛用他們母親的名字來為那個女人命名，是要說什麼呢？「我已經開始讀那本書了。我需要讀完它。我想妳也應該讀。」

「我會在去英格蘭的路上讀。」

「好吧。只有一個障礙。」一個障礙，是用有禮貌的方式說明他只有一名僧侶的消費力。她不必有讀心能力也知道——他磨損的鞋子替他發聲了。「別擔心，家族財富會吸收這筆費用。」

「我很……」

「不用謝。」

好吧。他轉向旅行的實際考量。「我們有兩種選項。」

「繼續說。」

「搭船會花一星期。如果我們搭飛機是兩天。」

新聞影片裡滿滿的都是第一批跨大西洋客機，從紐約飛到紐芬蘭加油，然後到愛爾蘭加更多油，最後來到英國南部海岸的南安普頓港。航班用的是巨大的海上飛機，從海岸邊的港口起飛，而不是內陸的航空站。

「那我們用飛的。」

「如果我們弄得到位置。」

「我父親是加州州長。我們會得到機位。」

「就算它客滿了？」

「他們會讓它不那麼滿。」

「我猜他們會。」所以他們要去英格蘭了，她哥哥失蹤、她母親溺斃的地方。一切必定都連結到這些事件裡的其中一件——或者兩者皆有。他把雙手插進他的口袋裡。這條露天街道上有著正要去雜貨店或者路面電車站的男男女女，不適合在這裡問他打算問的事情，但他沒什麼選擇。「妳對妳母親的死記得什麼事？」

她瞪著她手指之間的菸，把它扔到了一旁。「我在圖書室裡，在閱讀。某些關於英國國王與王后的東西。」肯幾乎無法想像她是個小女孩，而不是他面前這個時髦年輕女子的樣子。「父親進來了。他走得非常緩慢，我記得這點。然後他直接告訴我母親走了。她往外走到爛泥灘上。我們從沒找回她的屍體。」肯給她片刻的喘息時間。「每年我們都會在忌日當天回去。待一星期。我二十一歲的時候停止這麼做，但父親還是會去。差不多就是現在。我總是痛恨去那裡——就好像她還會在乎我們是否在那裡似的。」

排定航班花了三十六小時。在這些空檔他們沒見到彼此，不過肯有些事情得安排：他向報社請了兩週無薪假期。而他必須讀完奧立佛的故事剩下的部分。

從某些方面來說，那是個鬼故事。沒有鬼，但過去的亡靈回來糾纏有罪惡感的生者。到處都是他們那些亡靈，甚至出現在音樂裡。

她用手指碰觸她的心臟位置，再度開始唱那首聖歌：「無助之助，喔，求主與我同住。」然後他領悟到她為什麼一再重複唱這首歌：他剛好能夠分辨出風中吹來的曲調本身。它肯定是來自莫西島教堂的鐘聲。

肯跟隨這些角色跨越他們荒涼的島嶼，穿過倫敦蜿蜒曲折的街道。穿過風險與逆轉，友誼與敵意。當他終於抵達終點，他掌握到故事整體的哀傷感：沒有人贏。沒有人。在埋葬的真相被挖出時，沒有人獲利，或者在罪惡的祕密被說出時得以慶賀。就連在最後的段落裡還站著的角色都輸了。這故事說的是，揭露過去，你就毀滅了現在。

那讓肯停頓了一下。如果奧立佛揭露了祕密，然後開始希望他沒有這麼做，誰能說不該放任他發現的那些事情再度消失？可是復仇之犬在咬人。不管怎麼看，他的朋友奧立佛死了，肯就是想知道誰該為此付出代價。

旅程從飛往紐約的定期航班開始，接著是乘火車到長島，以便在華盛頓港搭上跨越大西洋的飛機。

他們必須在法拉盛大街站換火車。那天早上的月台擠滿了白天的通勤者，還有男人把一箱箱蘋果跟麵粉搬到當地的店鋪裡。某些火車會停下來載一百名左右的乘客，但大多數都是直接全速通過的直達快車。

肯的心思整個早上到處亂跳，現在轉向蔻若蘭跟她父親之間的關係。他搞不懂。她建議她爸從政治支持者那裡徵募現金，不過她肯定對他沒什麼溫情。但話說回來，她似乎對任何人都不熱絡，也許只有奧立佛例外。「認識任何飛過跨大西洋航線的人嗎？」他問道，只為了製造對話。

「艾蜜莉亞．愛爾哈特[24]。」

「妳認識她本人？」

「稍微認識。」

唔，這還真妙。

他們被淹沒在蜂擁而入的其他身體之中，這些人急切地想登上抵達車站的下一班火車。有另外一輛直達快車直接穿過。幸運的是，他們先前很早到月台，所以在有火車停下的時候，他們至少有位子。蔻若蘭察看她的腕錶。「兩分鐘。」她說。

「很好，我……」在那一刻，肯感覺到某樣東西——某個人——重重踩向他的膝蓋後方，讓他跪下；還有個肩膀把他往前推，把他絆倒。他的腳離開了水泥月台，而他的身體在空中滾動。這是一種讓人作嘔的翻滾下墜。不過，是鐵軌與發黑的石頭升起來迎向他的景象，讓他心跳為之停止。

就算在他跌落的時候，他都可以看到火車在離他不到二十碼處，加速朝他而來。沒有時間翻身或者抓住月台了。他只能伸出手擋住他的臉，抵擋衝擊。然後衝擊來了：他的頭往下砸向金屬與砂岩，猛撞向他手指的骨頭，他的胃咚一聲撞向鐵軌。

這一擊讓他驚愣一秒，但他沒時間發呆了。看到衝刺的火車逼近他，把他的大腦嚇到自我保存模式，他滾到側面，直接緊貼著形成月台的黃褐色磚塊。有人在尖叫。火車汽笛刺耳地響起。他感覺到輪子朝他衝過來的熱氣，聽到人們在月台上看著一個男人即將死去的驚慌叫喊。不過強烈的生存本能，讓肯把身上的每一分力氣都用在讓自己緊貼著磚頭，就好像他可以把自己的皮肉變成液體，以便爬進那小小的縫隙中。而他感覺到某樣東西顫動著從他腦後經過。某種又硬又熱的東西。

他那時就知道，如果再往後傾斜一根頭髮的寬度，一千噸鋼鐵就會把他的腦殼壓成碎片。火車直接從他旁邊經過，它的輪子吱嘎作響，煞車把火車頭卡進鐵軌裡，就好像要把它們扯碎。而某個人，一個女人，還在尖叫。

「他死了嗎？」「火車撞到他了！」「你有看到嗎？」月台上的乘客之間傳出一陣陣叫喊。「誰把他拉起來！」肯冒險做出最輕微的動作，而他的頭抽搐了一下，向他證明停下的車廂剛剛經過了他。他癱倒在粗糙的地面上。

「兩分鐘內還有另外一輛！」

好吧，好吧。他沒有時間在那邊休息。他懂這點。

肯蜷曲成坐姿，小心翼翼地站起，這讓他跟蔻若蘭面面相覷，她蒼白的五官現在似乎更加蒼白，所有血色都從上面褪盡。

他沒有時間應付朝他湧來的「你還好嗎？」呼喊。現在他是活著的，他只想知道誰撞倒他的。「叫警察。」他低聲吼道，手腳並用地爬上月台。他不只是準備好要打一架了，他是渴望打上一架。

24 艾蜜莉亞．愛爾哈特（Amelia Earhart，一八九七—一九三七）是知名女飛行員，她在一九三二成為第一位不間斷單人跨大西洋飛行的女性。一九三七年她與副手佛瑞德．努南（Fred Noonan，一八九三—一九三七）在環球飛行的最後一站失蹤，在一九四一年正式被宣告死亡。

他瞪著周遭，握緊血淋淋的拳頭，尋找一張面有愧色的臉。這裡有年輕的母親、老人家、小孩子，全都看起來很震驚。對於肯還活著，而且準備像一頭被虐待的騾子一樣猛踢一頓，沒有人感到羞慚或者失望。但在人群中間，在幾分之一秒但不會更長的時間裡，他看到一個男人站在遠離其他人的地方，在出口處。他的外表徹底普通——一般的身高體型，頭髮是泥巴的顏色，但他臉上有種表情，是刀鋒般的決心。在人群再度移動過之後，他消失了。「讓路！」肯大喊，擠了過去，從企圖阻止他、跟他說他腦震盪、或者需要慢慢喘口氣的人中間推出一條路。他快速抵達出口，瞪著外面寬廣簇新的馬路左右張望，可視線範圍內只看到一兩個媽媽用推車推著寶寶，沒有別人。

一名警察跑到現場，他的臉比櫻桃還紅。一定有人把他喊過來了。

「你還好吧，老兄？」警官問道，他沉重的呼吸在軟趴趴又不強健的身體裡發出雜音。

「我還活著。」肯擦著他的額頭。

「真的危險，這個地方，在所有人都在你推我擠的時候，」警察說道，同時脫下他汗淋淋的帽子。他應該把它擰乾。「我跟他們說過了。」

「有人推我。故意的。」肯用危險的聲音說道。

警察看起來吃了一驚，就好像肯指控他是攻擊的幕後主使者。「不不，在這裡不會的。只是場意外。人總是會彼此推擠，通常並不過分，但是——」

他們被火車司機給打斷，他爬出他的駕駛車廂跑了過來。「您還好吧，先生？」他說道。他只是個孩子。「我一看到就盡快踩煞車了。只是煞車——」

「這不是你的錯。」

「只是場意外。」警察用安撫的聲音說道。

「這是最不可能的，」肯告訴他。「這裡有任何你認得出來的人嗎？」他指向人群，他們在注視著這場討論的時候彼此悄悄耳語。

「認得？有幾個吧，我猜。」他的語調從充滿防衛惡化到閃爍其詞了。「這是我的巡邏區域。我時時刻刻都看到同一群人。」肯放棄了。就像他說的，他還活著，而且不管怎麼說，這名巡警能告訴他什麼？周遭這些人連一隻蒼蠅都不會傷害，即使把那隻蒼蠅放在他們鼻頭下都不會。而從此之後，肯會謹慎小心地活下去。「你想到警局來做個筆錄嗎？」警察問道，明顯不希望肯做任何這樣的事情。這樣會導致各種令人頭痛的書面作業。

肯搖搖頭，然後帶著蔻若蘭進入車站，那裡停著一輛沒有任何顧客的咖啡餐車，所有顧客先前都擠到月台上看熱鬧了。比有聲電影更便宜。就連顧餐車的女孩都離開她的崗位，伸長脖子，沒發現這場大秀的明星就在她後面。肯倒了兩杯飲料，在箱子裡丟了幾枚銅板，完全不知道他們是否付足了費用，不過他沒什麼心情察看價格表。

「妳知道這不是意外，對吧？」

「我知道，」蔻若蘭回答。「你認為我們該怎麼做？」

「既然有選擇，我全心支持保持活命，」他啜飲著他的咖啡；味道很恐怖，不過他不在乎。應該負責賣咖啡的女孩回來了，但保持了一段尊重的距離，以防掉到火車前面是一種傳染病。「對於那是誰幹的有任何想法嗎？」

「沒有。」蔻若蘭說。

「妳有看到任何人嗎？」

「沒有。你有嗎？」

「我只覺得有人故意讓我站不穩。但在我爬回來的時候，我看到……」

「你看到什麼？」

「某個人。一個男人。」

「你認得他嗎？」

「不，不過他有某種奇怪的地方，他看我的方式很怪。」

「什麼意思？」

「就好像他打算下次要做得更好。」

中午在港口邊，他們站在一台大小如一棟房子，在水中上下搖曳的飛機前面。

「女士，那個，」一位空服員說道，對於他的照管對象十分引以為傲：「是一台波音B-314洋基快艇[25]。世界上最大的飛機。有史以來最大。」

「非常令人印象深刻，」蔻若蘭說。「你可以好心地帶我們入座嗎？」

「樂意效勞，女士。」

蔻若蘭謝過他。他們被帶進機艙裡。它就像冠達郵輪公司能炫示的任何船隻一樣豪華，有兩排讓人一坐就陷下去的沙發、庫存充足的吧台與穿著白色外套的男僕。主廚們從華盛頓特區最佳的旅館被劫持過來，得到的承諾是會有一群王親國戚顧客，還有配得上這種身分的小費。十九小時的過夜旅程本身就會是一趟假期。

飛機在乘客層有七個隔間，每一間都有十個座位，它們會被轉換成附窗簾床鋪的睡眠艙，全都用抛光的胡桃木做成。

「她挺了不起的，不是嗎？」肯提出看法。

「我猜是吧。」

「雖然我很納悶這條路線她會飛多久。」

「你是什麼意思？」

「妳哥哥跟我有幾次談到德國跟他們的新總理。奧立佛認為很可能發生戰爭。」

「你有不同想法？」她回答。

「那時有。現在我不確定了。我想波蘭是下一個。如果我們回到戰場，我不會覺得意外。妳怎麼想？」

她短暫地思索了一下。「我父親在上一場戰爭裡擔任中尉。他在一天之內失去了他一半的部下——而他記得他們每一個人的名字。如果他是總統，我想無論現在發生什麼事，我們都會置身事外。」

無論發生什麼事？如果有所謂的國際災難配方，這是肯聽說過最接近的一個了。

「妳認為我們應該這樣嗎？」

她停頓了一下才回答他。「肯，我怎麼想不會造成任何差別。」她叫來一個酒保，說服他

25　波音314快艇（Boeing 314 Clipper）是波音公司在一九三八年至一九四一年製造的長程飛船，總共建造了十二台，大部分是為泛美航空（Pam Am）而製造；其中的洋基快艇專門飛南安普頓與紐約華盛頓港之間的跨大西洋路線，在一九三九年六月二十四日首航。

帶給他們一瓶裸麥威士忌，儘管他堅持這種酒只能一杯杯上。肯倒了酒，蔻若蘭則把十塊錢塞進酒保口袋裡。他假裝沒注意到，卻裝得很蹩腳。他們盯著舷窗外面，一邊抽菸一邊注視著星星沿著機身奔馳。「你是誰，肯？」她若有所思地問起，就好像她真心想要知道。

「妳會相信一個來自喬治亞州的農場男孩嗎？」

「不，我不會。」她從她的香菸裡吹出最後一行銀色的煙。

「那就是我。」

「那是過去的你。」她回答。

「我們無法逃離自己的過去，蔻若蘭。」

「看我的。」她把她的菸屁股壓進一個鍍金煙灰缸裡。

白蘭地被送上來，有一陣雪茄菸霧掛在天花板下面，濃到你可能在裡面迷路一整個星期。這台海上大飛船的末端是「蜜月套房」——一間徹底私密的艙房，根據他們的侍者在晚餐時間的耳語，現在由某位歐洲小王公跟他的「朋友」占用。那個套房可能見識過很多人裝得像是在度蜜月，不過其中只有非常少的人戴著婚戒，侍者補上這句。他在周遭徘徊，直到蔻若蘭也給他一張十元鈔票為止。這似乎是現在的公定價。

肯期待有些時間可以休息，但他的心思一直回到他在圖克家度過的那個晚上，當時蔻若蘭的房門是開的。那被血腥的事件打斷了，可是他那一晚感覺到某種強勁的東西，而當他進入她房間的時候，在他告訴她奧立佛的事情之前，她看著他的方式裡包含了完整的四季。

現在他們站在他們有窗簾遮著的迷你艙房旁邊，還沒準備好分開。「這一切比我原先預期的都更好，」他說：「我可能就直接搬進來了。」

「比你的公寓還好？」

他笑出聲來。「就像白金漢宮比泥濘的水溝還好。」

她頓了一下。「我替你找到一個東西。」

「什麼東西？」

一位空服員從衣帽間帶來她的麂皮肩背包。他沒因為這番辛苦拿到一張十元鈔票，看起來很失望。蔻若蘭從側邊口袋裡拿出一封裝在褪色藍色信封裡的信。「你可以讀一讀。」她說道。

那是她祖父，西緬寫在一張奶油色信紙上的信。

沙鐘屋，雷島，艾塞克斯郡

一九一五年九月六日

我親愛的奧立佛、亞歷山大與蔻若蘭，

我現在老了，而你們的人生全都才剛開始。對於你們來說，我是個皺巴巴的老人，孩子們會喜歡皺巴巴老頭子的哪一點？沒有任何一點！而事情就應該如此。你們應該喜歡釣魚、在樹林裡玩耍、還有學習你們的學校課程。如果我能再度回到你們的年紀就好了！喔，這一切對我來說全都過去了。

我在我們團聚一堂的時候寫這封信，因為我想要你們在我早已遠去之後，還記得我。因為我會記得你們，無論我在哪裡。

信裡還有更多他對他們未來的期望，某些關於如何與他人相處等等的建議。不過信中有一個部分很突出。

蔻若蘭，有一天妳會成為一位優秀的年輕淑女。不過請小心不要變得太淑女。妳祖母並沒有，而她是個了不起的女人，所以搭上妳父親講得如癡如醉的那些飛機吧。甚至可以學會開一台。

亞歷山大，我知道你會成為眾人的領袖。我想，是一名士兵。也許你適合海軍。但我看得出來，甚至在這個年紀，你也有很好的頭腦。做一位藝術家或作家也會很適合你。

奧立佛。喔，奧立佛。我要給你我最深切的道歉。你這麼有志氣，然而你的身體卻讓你失望。我已經盡力做了我能想到的一切，但我一邊坐在我平常的位子上寫這封信，一邊注視著你在圖書室裡的小小玻璃房間中，我真希望我會迸發出某種靈感。

我知道我不會的。

你可能無法真正了解那一切測驗與觀察是在幹什麼，但在過去幾個月裡，我仔細研究著你，你父親那方——還有我自己——熱切瘋狂地希望我會想出某種奇蹟，來治癒你的疾病帶來的影響。然而不，我親愛的孫子，沒有任何事物展現出任何希望。所以我坐在這張老沙發上，注視著你玩一台玩具腳踏車，讓那些輪子轉了又轉，同時知道你永遠不會騎上其中一台。這對我還有你父親來說都極其哀傷，他對你，他的頭生子，有如此高的期望。

「他是什麼意思，『你在圖書室裡的小小玻璃房間中』？」

「我父親曾經有某種想法，認為西緬可以找到某種辦法治癒奧立佛的小兒麻痺後遺症。這沒有乍聽之下那樣異想天開——我祖父是感染性疾病的醫師，他在治療霍亂方面的工作頗有幾分名聲。我們那時在英國待了一年。所以在我祖父嘗試某些做法的時候，奧立佛必須保持隔離。沒有任何一招奏效，雖然他到最後確實康復了，如你所知。」

「你想知道關於玻璃廂房的故事？在故事裡的。」所以她也讀過了。在《沙鐘》裡占有如此核心地位的玻璃房間，想到它可能也是真的，很讓人震驚。

「對。」

「你當然想知道。嗯，真相確實如此：我想那真的發生過。至少我祖父是這麼告訴我們。」

「讓人難以置信。」難以置信，歷史竟然重複了——不過這次是西緬坐在沙發上，日夜觀察著。

「為什麼妳父母在妳哥哥被誘拐以後還回去那裡？我以為那裡會充滿痛苦的回憶。」

「我想是這樣。我父母跟祖父有好多年讓那裡閒置，但我父親總是說那裡是祖宅，應該尊崇祖先。」她諷刺地揚起一邊眉毛，告訴他對她而言，祖先根本不算什麼。「所以他們開始每年夏天回去。直到我母親過世為止。」她再度望向那封信。「父親把西緬捧得很高。他常常說：『妳祖父會很驕傲的』——或者很失望，端看我們做了什麼。無論如何，我想讓你讀這封信，這樣你就知道我祖父實際上是什麼樣，而不是從奧立佛的書裡理解。」

「我懂了。」

她旁邊有一扇窗戶，夜空似乎從那裡倒了進來。也許是裸麥威士忌或者熱氣所致，他朝著她走近了半步。他們頭上的光線反映在她淡藍色的虹膜上。她的臉朝著他仰起，而他感覺到她的呼吸，緩慢而深沉，同時他舉起雙手到她的身體兩側，把她拉得更近。在他讓自己的嘴朝她那裡移動時，她的眼睛似乎失去了焦點，視線直接穿過了他。而她的嘴唇轉開了。她緩緩地搖頭，再度凝視著夜色。

「不要現在。」她低聲說道。他垂下雙手。

他們靜默地盯著彼此幾秒鐘，都在等對方先動作，或者侍者用委婉的咳嗽打斷，或者飛機從這該死的天空上掉下去。任何事都好。什麼事都沒發生。她拉開了窗簾，讓它們在她身後落回原位。

第十一章

在早晨過半時，他們被冒著濃厚蒸氣的咖啡與茶叫醒了。在盥洗著裝之後，他們從飛機裡冒出來，進入英國夏季的陽光下。這跟加州的夏日相比根本不算什麼——對加州人來說，這充其量算是春天。但儘管機艙很奢華，肯還是沒得到充足休息，他的腦袋仍然充滿了前一晚的滯悶雪茄菸霧。南安普敦港帶著鹽味的空氣刺激著他的喉嚨後方，讓他振作起精神，卻沒怎麼提振他的情緒。

在他們徒步橫越碼頭貨場，被某些自鳴得意的地方顯貴還有一位資深泛美航空員工迎接的時候，肯環顧四周。這是在新聞影片以外他第一次看到歐洲，而這並不是他預期中的景象。他腦中的古國影像，是中世紀羅曼史與狄更斯小說的混合：半是森林，半是傾頹的集體住宅。但這裡出現的是一個動員海陸、面對一場二十世紀戰爭的國家：一艘巨大的軍艦停泊在碼頭上，還有一群照料船的人在它周圍忙活，就像黃蜂一樣。在海港進出口，一艘掃雷艦被拖往外海。到處都是深藍色的海軍制服，中間點綴著陸軍卡其制服。

他注意到，他們看起來對於將會發生的事情相當有決心。他希望這次他們可以撐過去，不需要來自美國的幫助——如果圖克州長得償心願成為總統，並且讓美國男兒免於第二次的歐洲屠殺戰場。

然後他們去搭了火車，污穢的倫敦在一片模糊中經過。肯很失望他沒機會看看這個偉大的首都，他這輩子喝下的文學美酒的發祥地。不過至少還有鄉間，還有貨真價實的小村落，裡面有石砌教堂、有腳踏車上的少女看著火車加速通過。而到最後，他們在艾塞克斯郡的柯契斯特鎮下車──一個由羅馬人建立的古老地方，車站有個褪色的招牌這樣告訴他們。這不是他們的最終目的地，不過那裡有某樣肯想先檢視的東西。

「這是最近的市鎮了，對吧？」他問道。

「離雷島最近嗎？對，是這樣。」

「那這裡會是他們召開死因裁判法庭的地方。」

「我想是的。」

在火車站票務辦公室的詢問，指引他們抵達一棟不到兩條街外的磚造建築物。前方櫃檯的辦事員回答說對，任何人都有權閱讀法庭紀錄謄本，而如果這位紳士願意到右邊第三個無窗房間去，他就會發現這些謄本是照日期歸類標示的。

「這一份。」在他們搜尋一會以後，蔻若蘭這麼說道，同時打開一個前方有鐵絲網的櫃子。她抽出一本用便宜紙板裝訂的厚書。它涵蓋了她母親過世的年份。

她把它放在一張空桌上，他們靠著單單一只懸掛式燈泡的光線閱讀。英國電燈泡似乎比美國版本的微弱得多。

佛羅倫斯．圖克（太太）之死。一九二〇年，七月七日審理。

肯與蔻若蘭讀到了當天的氣候情況──溫暖明亮──一位當天早上服務過她的製帽商作證，

說佛羅倫斯看起來夠開心的了，就她的見解，一點都不像是一名打算自殺的婦女會有的心理狀態。還有圖克州長的證詞，他說對，他太太自從他們的兒子失蹤以後一直不快樂，但她的心智相當平衡。接著還有佛羅倫斯的女僕卡門提出的說詞，她說，她正在清潔州長的書房時，看到她的女主人丟下她的畫架，瘋狂地涉水越過爛泥灘，進入水中，同時往下沉。某些在地居民肯定了有其他人死在同一片土地上。檔案以這些話語作結：

判決：存疑

肯知道，那就意味著有某件事情很可疑，某件事情不太對。他察看門口，靜靜地把那些頁面從裝訂處撕下來，塞到他自己的背包裡面。「沒有別人會想要它們。」他說道。

「這倒是真的。」

到了外面，他們花了幾分鐘在接近傍晚的陽光下，思考他們剛讀過的內容。

「跟皮爾斯說的一樣。」一會以後，肯這麼說。實際上他本來有一半期待貝倫是胡謅的。

「我本來希望不是這樣。」

「我可以理解這點。」

直到那一刻，佛羅倫斯的死亡都一直很單純。確實很痛苦，卻已有解釋。而現在蔻若蘭必須消化這個想法：她哥哥跟她母親都在可疑的情況下死去。

她跟肯搭計程車從柯契斯特火車站出發，穿過低窪沼澤風景的時候，都沒再多說什麼。這裡曾是維京人通往英格蘭的門戶，計程車司機這樣告訴他們。肯可以看得出為什麼：這裡是海洋與陸地相會並結合之地。有時候地面是紮實的，其他時候則是充滿水的航道。田野傾斜著伸進結凍的北海，小島像鬼魂似地立起。

終於，計程車停在一間酒吧外面。看到它讓肯很高興，因為他雖然可能錯過了夢想過的老倫敦，這裡卻有一間已經屹立四個世紀的酒吧，仍然供應著室溫下送上桌的淡啤酒。招牌彎曲了，但佩登玫瑰這個名字很清晰。這棟建築物寬而低矮，有著粗糙的塗白牆壁，因為年代久遠，在這裡或那裡都有點往外彎。

奧立佛的故事裡描述過佩登玫瑰。在書裡，主角年輕醫師西緬・李，在接近十九世紀末的一個狂風大作之夜，從一輛停在酒吧外面的馬車上下來，深入檢視他叔叔的家，沙鐘屋裡的黑暗事件。現在，在二十世紀，肯有西緬的鬼魂為伴，從一輛計程車上下來，調查奧立佛在那棟屋子的加州翻版裡的死亡。

「我已經忘記這個地方了。」蔻若蘭說道。她轉了一圈，把一切盡收眼底，到最後，在面對他們前方的一座小島時，她看起來病懨懨的。那就是雷島，西緬・李的調查現場，蔻若蘭的母親死去、亞歷山大失蹤的現場。它有幾百碼長，低矮而蹲踞著，像是一窩幼仔中最弱小的。在它後面隆起的是另一座島嶼，莫西，那裡有一座依附在岩石上的小鎮。

肯走到酒吧窗邊往裡窺探。可以看到低矮的橡樹橫梁跟一座有壁爐角[26]的迷人壁爐。一台收音機正在播放某種古典音樂。

「從倫敦南下的，是吧？」一個粗啞的聲音吵鬧地穿過門口。

肯檢視了一下自己的衣服。對本地人來說肯定是夠像外國人了。「來自比那更遠一點的地方！」他口氣愉快地喊道，同時他大步走進去，看到幾個顧客在吧台玩骨牌或者分享一份報紙。

那聲音屬於店東，一個骨瘦如柴的男人，他從一只罐子裡倒啤酒給其中一位報紙讀者。飲料從邊緣灑了出來。

「你聽起來像這麼回事。美國人啊？」他聽起來並不愉快。奧利佛書裡的店東比較快活。

「我們是。」肯回應道，友好地嘗試提振對話的活力。蔻若蘭跟著他進來，瞄著四周，就像在察看自己的棺材。

「好一陣子以來我們在這裡看到的第一個，」店東這樣告知他。「上個月有個加拿大人，不是嗎，彼特？」彼特，一個四五十歲、有著明亮紅髮、看起來緊張兮兮的靈魂表示贊同。

「不過他們不一樣，不是嗎？」

「他們喜歡這麼想，」肯證實這點。出現一陣雙方都無話可說的停頓。「我們可以來兩杯那種啤酒嗎？」他確定裝在黏膩玻璃杯裡的溫啤酒不是蔻若蘭會選擇的飲料，但他們現在不能自作聰明。在他們等著上飲料的時候，收音機繼續它寂寞的交響樂。

「為了牡蠣而來嗎？」酒保問道，似乎很納悶訪客怎麼會如此遠道而來。

「我們聽說牠們滿特別的。」他撒了謊。

酒倒了出來，作為回報，他們把幾便士推到吧台對面。這麼做的時候，一個女人——看起來

---

26 壁爐角（inglenook）又稱煙囪角（chimney corner），是指有一部分圍起來的火爐區；通常是在一個較大房間裡的凹陷區域，因為有火爐所以比較溫暖，或者可以用來煮食物。

大約五十歲，把所有可能有鈕扣的東西都扣了起來——走向彼特，把單單一根白羽毛放在他面前。「我兒子在海軍，」她說道：「去對抗納粹了。你在上一場戰爭裡是懦夫，現在也是。你們全部人都是。你們的教會很好嘛，就是一群懦夫。」她昂首闊步離去，而臉頰紅到跟他頭髮一樣顏色的彼特，靜靜地把羽毛放到他的褲口袋裡，假裝在讀他那一部分的報紙。

肯回到他跟酒館老闆的對話。「有地方可以讓我們暫住幾晚嗎？」

「一個房間？唔，好，我們這裡是有幾間。」他的口氣有點懷疑。「一晚上十五先令附三餐。不附餐十先令。一間房還是……」他用眼睛剝了蔻若蘭的衣服：「……兩間房？」

「兩間。」肯移動過去擋住那男人的視線。當然，她實際上不是他的女孩，但他還是想要這傢伙放尊重一點。

酒吧主人接收到這個訊息。

被帶去看過兩個舒適度媲美特拉普會修道院[27]，便利設施還更少的房間以後，他們回到樓下。現在該談正事了。傍晚的光線融進屋頂，空氣中有一股潮溼花朵的味道。

「我們想要稍微探索一下，」肯告訴酒館老闆：「位於兩端的這些島嶼。我們可以到那些島上嗎？」

店東抬頭看了鐘，然後看向釘在牆上的一張表。「現在不行。潮水太高。史楚道——那是通往它們的路徑——被蓋住了。許多人在水掩蓋那裡的時候企圖跨越，就溺死了。」肯感覺到蔻若蘭的刺都豎起來了。「在你們能過去以前天就會黑了，最好等到明天。」

肯從《沙鐘》裡知道淹沒史楚道的潮水的所有事情，知道它們如何毫無慈悲地潮起潮落。

「我們寧願今晚就去，一等到安全了就上路。」

老闆聳了聳他瘦削骨感的肩膀。如果二十四小時後本地警察必須把他們的屍體從泥沼裡釣起來，他也不會少一塊皮。「如果你非去不可就去吧。」

等待正確時機的同時，他們吃了晚餐。讓肯厭惡的是，主菜是一隻很有彈性的鰻魚，懸浮在又冷又鹹的肉凍裡，整個鋪在粗顆粒馬鈴薯泥上面呈上來。基於禮貌，他硬吞了下去，雖然這比較像是吞下一種侮辱，而非食物。蔻若蘭沒有費事維持禮貌，戳了幾下馬鈴薯，便把盤子推開。

「妳就不用告訴我了。」肯說道。

他們維持來度假的藉口：在翻遍一本肯在火車站挑中的東英格蘭旅遊指南後，他們選擇訪問一個古怪偏僻之地。到最後，店東檢視了潮汐表跟他的腕錶，通知他們現在安全到可以過去了，不過他們有手電筒可以照路嗎？沒有，肯回答。店東哼了一聲，伸手到櫃檯底下找出一隻使用電池的手電筒，他測試了一下，交給他們。天價租金會算在他們帳上。

「那麼，就直接沿著史楚道走。那樣會把你帶到雷島，然後是莫西島。莫西鎮是在西側。不過這時候沒多少東西好看。」唔，在日光下可能也不會多上太多。

史楚道是一條狹窄的堤道，外連到兩座小島，它們與內陸之間被寬闊的溪流切斷。從內陸到雷島，這條滑溜狹窄的小徑或許長達一百碼。它穿越雷島的部分也是相同距離，然後再通往

---

27 特拉普修道會（Trappist）是嚴規熙篤隱修會（Ordo Cisterciensis Strictioris Observantiae）的俗名，顧名思義，是比遵守聖本篤會規的熙篤會（Cistercians）規定更森嚴的隱修會。

莫西。在低潮時，它高於輕拍著穿過水道的波浪不超過三呎，而透過手電筒的光，肯可以看到上漲的水抓向路面，還有路上的任何人。

在肯步行時，他知道他是名符其實地跟著《沙鐘》主角西緬的腳步前行。那瘋狂的故事。根據蔻若蘭提供的情報，這個故事完全奠基於奧立佛的祖父在一八八〇年代的經驗，雖然很難說那本書有多少是歷史，又有多少是奧立佛想像力的產物。

雷島自身是個低矮、扁平的惡霸小島。它的額頭以壞脾氣的挑戰姿態，朝著海上突出。靠它維持的生命也很類似：緊抓著帶鹽分土壤的帶刺植物，還有幾隻叫聲刺耳的鳥，停留時間只長到足以宣布這座三角形島嶼的貧瘠。

不毛到只有一棟石板黑色的房子，背後襯托著墨色的天空。

「就是它。」蔻若蘭說道。肯把手電筒的強力光束轉向建築物。

在故事裡的沙鐘屋，西緬．李自己赤手空拳挖掘出一個祕密，把它從泥巴裡拖出來。而在現實世界裡的沙鐘屋，奧立佛的弟弟與母親雙雙消失。這棟房子座落在小島的南方尖端上，兩側夾著通往東邊的爛泥灘。這會是個靜靜瘋掉的好地方。

蔻若蘭的聲音在光束照亮它的時候改變了。她聽起來很困惑。「它出了什麼事？」

這是個好問題。一棟房子的窗戶要有玻璃，牆壁上要有門，還要有屋頂。這堆排列井然有序的磚塊似乎一直往上再往上延伸，但在它發黑的牆壁頂端，只有零星的木柱與磚塊，同時窗戶空蕩蕩的。

「火災。」肯說道。窗戶上方的焦黑痕跡，在手電筒光線下剛好可見。

「我根本不知道。」他們盯著那片廢墟。「所以我父親來的時候，他看見的就是這個。」

「他看見的就是這個。」肯重複一遍。

他們謹慎地再度動身，就好像火焰不知怎麼地躲在視線範圍外，等著衝向他們；透過雜草叢生的植被，正好可以看見一條被踏平的小徑，他們沿著這條小徑迂迴前進。「如果當時屋子是空的，那就表示有人刻意燒了它，」在他們距離敞開的門十碼時，肯說道。「要不是那樣，就是它被閃電打到了，不過那種機率是百萬分之一。」

「別一筆勾消這種可能。我們圖克家有奇怪的運氣。」唔，最近的事件已經證明她在這方面說得正對。

他們到了入口，肯拉了拉鈴索。就算他的大腦告訴他別期待，他還是期待聽見西緬聽過的相同鈴聲。沒有任何聲響，理所當然。而且無論如何，曾經為西緬打開的門，現在就只是幾塊被生鏽鉸鏈固定住的橡木塊。它整個看起來像是一場人人都想遺忘的災難性戰役之後，被打得很慘的殿後部隊。

在裡面，手電筒落在燒成焦炭的翻覆家具上：一把巨大的門房椅[28]，一張必定曾經非常精緻的玫瑰木長桌，還有一個鐵製火爐。地板是維多利亞式的黑白棋盤格，中間鑲嵌著設計細緻的星星，不過大半被泥土蓋住了。一股霉味從屋子的內臟裡飄出。

28 門房椅（porte's chair）本來是放在前門旁給門房坐的，因為以前的大宅邸裡，其他房間不見得聽得到敲門聲，門房必須在門口待命；門邊往往有冷風，所以這種椅子會做得比較保暖，有很高的椅背，頂端還會有個擋風的蛋形半圓頂，旁邊還可以掛燈籠照明。

蔻若蘭先進去，踏過四散的泥土與碎片。她的腳快步掠過地板。黑暗隱蔽處有某樣東西匆匆跑掉。「所以，這就是妳繼承的遺產。」肯說道。

「就像我說過的：我們圖克家人有奇怪的運氣。」

更深處是個小起居室，地板上被燒穿出一個寬廣的大洞。「這裡一定就是起火點。」肯告訴她。牆上的木製護牆板變成了燃料。房間裡面還有窗戶遇熱爆裂後留下的一些玻璃碎片。鐵製窗框還在。肯再度想到鋪排在這四壁之間的故事。他可以看見生病的郝茲牧師拖著腳步穿過。但現在藏在屋子角落裡的，是什麼樣的陰影？奧立佛來到英格蘭的時候發現了某件事，某件導致他死亡的事情嗎？

「你要去哪裡？」

肯開始沿著一條通往後方的走廊前進。他在一張歪掛在牆上的燒焦畫作下面停頓了一會。一幅打獵場景。

「廚房在這邊。」

「你怎麼……」她打斷了自己。「當然了。那該死的故事。」手電筒的光線在她眼裡閃耀。

廚房有個很大的鑄鐵爐灶，現在可能還能用，就像它剛被送來那天一樣。「這爐子比我的公寓還大，」肯說道。這裡除了死人擁有的回憶以外，沒別的東西了。「我們上樓去。」現在該接近屋子真正的心臟了。

他們重拾原路回到走廊，朝上盯著上一層樓，上方掛著夜晚的雲，還有幾隻尖叫的海鷗掠過。有個寬闊的木造樓梯通往上面。儘管有過火災，它卻幾乎沒有損傷。他們穿過木材裂隙與破洞構成的迷宮，拾級而上。一陣毛毛細雨開始落下，滲進樓板裡。

「我都忘了這個地方的比例有多瘋狂。」在他們走到頂端的時候，蔻若蘭說道。

「妳是什麼意思？」

「這裡就像我們在加州的房子。從外面看，這裡看起來像三層樓，但其實只有兩層樓。上面這層就只是高得不可思議。」蔻若蘭說道，她的話語在空氣中變得潮溼。肯讓手電筒的光線照亮頂端那排磚頭跟屋頂的最後一絲遺跡。「我很納悶你們為何造出像那樣的房子。」

「想必是為了讓更多光線進來吧。」他抬頭看著一度是屋頂的空洞。「呃，有人成功了。」

手電筒光束打在某個從屋頂墜落的東西上：一個跟人一樣大的鍛鐵架，上面裝著一個做成沙鐘形狀的巨大玻璃風向標。玻璃已經破成兩半，沒有任何沙子會從一半流到另一半去了。

「這棟房子是以此命名的，」蔻若蘭說道。「我猜那個名字現在沒有任何意義了。」

他們跨過木造托梁，沿著在橫跨整個上層的平台走，到達一扇仍然展示出些許燒焦綠色皮革的門。肯猜測著另一邊是什麼。這是奧立佛故事裡的謎團源頭，其他一切都從這道泉水中流出。他推著門，但門框裡的門彎曲又僵硬。他用肩膀去推，它還是不肯動。「我必須把它撞開。」他說道。他把手電筒交給蔻若蘭，退了一步，以他全身重量衝向那扇門。它撐住幾分之一秒後才放棄，裂成兩半。而在那裡他看到了一切，就像奧立佛的故事裡描述過的：一千本或更多的書，排列在圖書室的高牆上。然而在小說與這幅景象本身之間有一個基本的差異，因為在故事裡，它們是精緻而受到尊重的書，內容範圍遍及人類學識的整個領域；但在這裡它們被火燒焦了，覆蓋在地衣之下，累積一輩子的泥土在上面結塊。這不是間圖書室，而是書本的停屍間。而每一本都是一具無名屍。

肯望向房間盡頭，想知道他到底可能會發現什麼。光束跟上了，因為蔻若蘭也有同樣的想法。它落在一片虛空之上：一片沒有書、書架或家具的乾枯、灰白寬廣空間。沒有在靜默中閃爍發光的眼睛。那間觀察室只剩下地板上的一堆爆裂玻璃，充滿惡意地在一百個破碎影像裡反映這個房間。那個房間一度意味著某種恐怖的事：病態與絕望的囚禁。現在那些鬼魂都被釋放了。

肯察看一排書，用手指沿著它們的書脊摸過去。他肯定是在自然科學區，因為那裡有些解釋化學反應跟描述南美洲青蛙的厚重大書。他在廢墟中把它們重新排整齊，即使他不知道他為何要這麼費事，他明明可以朝任何方向隨手亂丟這些書，而且這樣做對這整個場景不會造成任何一丁點差別。

「你認為我們會找到什麼？」蔻若蘭問道。

「不是這個。這是個意外。」他回答道。「在讀過這地方以後親臨現場，真讓人發毛。但是火災？是啊，這倒是出乎意料。」

現在只有鳥類跟潛藏在牆角的不明生物才會以這裡為家了。不過問題是，奧立佛來這裡時是否發現了什麼別的東西，某種把他驚嚇到走上自我毀滅之途的東西。從他的背包裡，肯抽出他那本《沙鐘》，在手電筒的光線下閱讀某一個段落，講到了挺立在他們周遭的這個房間。

他召來彼得・肯恩。這個男人來了，雙手骯髒，還握著一把鏟子。「我在埋葬那匹死掉的小馬。跛腳畜生沒用。想幫我挖洞埋牠嗎？」他傲慢無禮地說道。西緬派他立刻去把瓦金斯帶來，然後上樓到圖書室去。佛羅倫斯坐在小八角桌旁，上面放著容納他們所有人的房子的玻璃小模型，三個人偶在上層的彩色房門後面等待，就像演員準備好要表演他們的角色。爐柵裡有一爐火，它的紅色火光在西緬為她挑選的黃色絲質連身裙上面飛舞。她再度唱起那首聖歌裡的一段，「無助之助，喔，求主與我同住。」

佛羅倫斯。在他的故事裡，奧立佛賦予他母親的生命，超過在真實世界裡被截短的那一個。她活在他創造的戲劇場景裡。讀起來很哀傷。

沒有別的東西可看了，所以他們試著打開平台上其他的門。兩個房間幾乎空了，只剩下被雨水泡爛到剩下幾根柱子的床鋪。最後一道門很卡，不過不需要衝撞就鬆開了，讓肯的肩膀省下另一次打擊。

「我們還在這裡的時候，這是我父親的書房，」蔻若蘭一邊說，一邊往裡窺看，想必就像她小時候一樣。「我記得我站在門口，看著他工作。那裡。」一張捲蓋式寫字桌與一把高背木頭椅子獨霸整個房間。桌子被一塊獨自倖存的屋頂遮蔽著，沒有被火焰觸及。它就是無人出席的葬禮上的未亡人。

被刻在桌子上的天文全景圖輪廓像過去一樣清晰，但在肯迅速檢查抽屜的時候（結果要這麼做很困難，因為木頭變形了，他必須把它們硬扯出來），他發現裡面完全是空的。

要檢視的東西沒剩多少——某些翻覆的箱子，還有一排架子，裡面的全部貨物清單如下：一個有裂縫的花瓶，一個小瓷盒，還有一堆老鼠糞。肯坐在那張高背椅上嘆了口氣。不過接著他的眼睛落到某樣物體上：其中一個抽屜不肯被一路推回底部。他本來認為那是因為木料損毀，但也可能是別的東西。他把抽屜整個抽出來，在空洞裡到處摸。對，就在那裡！就在後方，那裡有某樣東西。他用手指握住它，把它抽了出來。

那是個卵形物體，兩吋長，用陶瓷做成。它的兩半可以像牡蠣似地打開來，用鍍金與細緻的珍珠弧線做裝飾。有人為了這個東西付出過一大筆錢。

「我知道這是什麼。」它出現在光線下的那一秒，蔻若蘭就這麼告訴他。

肯沒有空等著答案。他把那兩半撬開，發現自己正看著一對袖珍畫，必定是用一隻很小的貂毛畫筆，用細緻的水彩筆觸繪成。一幅畫的是他們站著的這間房子，在祝融不太用心地重新裝潢它之前，從遠處在夜空之下看到的樣子。它的配對畫，放在上下顛倒的位置，是這棟房子的同名翻版，在加州光天化日之下的一處懸崖崖面上。

「告訴我。」肯說道。

「我母親有時候會畫這些畫。我有一個。這肯定是奧立佛的。我不知道他為什麼放在這裡。」

不知道，這是個超級大問題。

「也許是因為這樣它可以跟妳母親在一起。以某種方式。」他絕對稱不上有信心說這就是答案。

「有可能。」

所以，這個房間確實曾經握有一個祕密。不過這不是奧立佛發現的某件事；這是他留下的某樣東西。

葳若蘭從這房間唯一的窗戶眺望出去，這裡面對著正南方。肯跟著她的視線往下望向小島尖端的泥濘海岸，在月光下剛好看得見。「我想離開，」她說：「這裡沒別的東西了。」為了精確起見，她可以這麼補充：除了糟糕的記憶以外什麼都沒有了。

她走開了，朝著樓梯而去。肯跟上她，但他突然想起某件事，停下腳步。他伸手到他背包裡，抽出了他從裝訂好的書卷裡扯下來的死因審理紀錄。

「等一下。」他說。

「為什麼？」

「這裡有某樣東西。」他翻著報告。「對，在這裡。」他用食指戳向頁面。他用兩倍速度閱讀，圖克州長說他妻子在她死亡當天早晨並沒有任何心理不平衡，而來訪的製帽商說佛羅倫斯．圖克似乎挺開心的。以及她女僕的證詞。「看。卡門在法庭上的陳述。」

「所以呢？」

「留在這裡。我要到爛泥灘上去。」

「什麼？」

「我要用手電筒向妳打信號。妳看到信號時就大喊。」這麼說罷，他就衝出去，把她留在只靠微弱月光照明的房間裡。

拿著手電筒，他找到下樓梯的路，從前門出去。他把光束照在他走的小路上。地面變得更溼軟，噴濺在他的雙腿兩側。他慢了下來，確切知道如果他腳步踉蹌踏上錯誤的區塊，更不小心弄掉了手電筒，被吸下去的話，可能會發生什麼事……

去他的。他已經經歷過太多事，不能跟佛羅倫斯走上同樣的道路。他正要熬過這一切，找出奧立佛發生什麼事，並且衝著任何手上染血的人發洩。

接下來，地面上凍結的泥巴多過土壤了。手電筒燈光落在一片棕色的寬廣地帶上，可能是一片骯髒海洋的海岸線。再走三步，他的腳就下陷了。再一步以便確定，然後泥巴就淹到他的膝蓋了。他不可能再冒險踏出另一步。而他轉向房子，把手電筒從左揮到右，再從右揮到左。接著上下畫出神聖十字。「蔻若蘭！」他吼道。那聲音有迴音，就算那裡似乎沒有一樣東西可以讓它反彈。它是從荒蕪中反彈出來的。他揮手，再度大叫。

然後他聽到了她的聲音，非常遙遠。

「是！」

他再度畫出十字架，把他麻木的腳從泥巴裡拔出來，悄悄溜回屋子。穿過大廳往上走，他走向書房，留下一條髒污的足跡。

「妳看到什麼？」一看見站在窗口的她，他就問道。

「什麼也沒看到。」

這正是他預期她會看到的。「我想也是。卡門告訴法庭說，她看到妳母親涉水越過爛泥灘的時候她在這裡。真是個騙人把戲，窗戶根本面對另一個方向。」蔻若蘭噘起嘴唇。「跟我說說卡門的事。」肯說道。

「我有生以來，她一直都跟我們在一起。」

唔，這表示她知道的家族祕密，比他們家塞滿一整個房間的律師與銀行家都多。

「我們回去的時候需要跟她談談。妳信任她嗎？」

有一陣停頓。「你能真正信任誰呢？」

是啊，這倒是真的。

第十二章

「我很好奇他們這裡的人晚上做什麼消遣娛樂。」他們坐在玫瑰酒館角落裡的時候，肯說道。

「屠殺牛隻，活埋牠們。別問我。」

被揭露的謊言肯定讓蔻若蘭感覺心情相當低落。「有任何事情是妳想做，並可以讓妳轉移一下注意力的嗎？」

「像是什麼？」

「玩撲克牌？或者我想他們這邊玩的是克里比奇紙牌[29]。」

「那是什麼？」

「我想，是某種跟火柴棒有關的東西。」

「所以我們都不知道怎麼玩。」

「確實不知道。金拉米牌戲[30]？」

29 克里比奇紙牌（Cribbage）是一種雙人紙牌遊戲，兩人中間會有一個有打洞的計分板，雙方會用木釘插在上面記錄得分。不會玩這個遊戲的庫里安，只模糊記得好像牽涉到類似火柴棒的東西。

30 金拉米牌戲（Gin Rummy）是一九〇九年由一對父子發明的雙人紙牌遊戲，原本只在紐約流行，在一九四一年以後變成好萊塢流行而傳遍全國。

她聳聳肩接受了。肯向店主借來一副撲克牌，然後發牌。他們吸引了一小群當地人，問他們怎麼玩，後來跟著加入。到最後，他們跟酒館裡的常客打成一片，每個人都把肯當成夥伴，對蔻若蘭很尊重。肯頗有罪惡感，但他其實很享受在舊國度裡跟她、還有他們新交的朋友們共度這幾小時。而他可以看得出來，格柵裡閃動的火焰跟他們那些你推我擠的同伴們，讓她溫暖了一些。她對某些笑話露出微笑，喝了將近一品脫這間酒吧的琴酒。這酒摻了太多水，你會需要喝一整桶才能勉強達到接近酒醉的程度，但肯懷疑，就連沒沖淡過的正品都幾乎影響不了她。

晚上他突然驚醒。但他的夢仍然在他的視野中氾濫：蔻若蘭穿著她在奧立佛船上的那件泳裝，那天在海上的他們全都無憂無慮。只是這次他的手指沒有把雞尾酒交給她，它們伸過去，摸她泳裝背後綁起的帶子。帶子像蛇一樣自己展開了，纏繞在他的手腕上，束縛著他。

在他臥房的黑暗中，他可以感覺到他的胸膛上下起伏，他的雙手伸了出去。

「耶穌基督啊。」他對自己嘟噥。

第十三章

肯在八點前就徹底醒了。現在太早，尚未供應早餐，所以他拿出奧立佛的書，開始重讀這個故事，慢慢地複習。可以確定的是，比起表面上呈現的，埋在裡面的東西更多上許多，多得要命。他發現自己在想，西緬這個角色如何發現一本叫做《黃金原野》的小說，講一個加州人旅行到英格蘭去，發現關於他母親的真相。這是反映奧立佛自己的追尋；對於任何知道他家族歷史的人來說，不用腦袋都可以推論出來。是啊，奧立佛的書是他遺留給生者的訊息。

肯逐行閱讀，把它當成新書檢視每個詞彙，以免錯過什麼，同時酒館主人掃地跟到處挪動椅子的聲音，從下面的酒吧飄了上來。而當他讀到西緬在雷島房舍裡頭幾天的敘述時，他腦袋裡有某樣東西起了共鳴。他往前後翻，尋找一個關於屋內僕人的段落。他找到了。頁面上出現的，是他在真實生活中聽過的某件事的迴音，某件他在酒吧裡聽人說過的事情。他猛然闔上書本，發出一聲笑，砰一聲把它扔在床上，匆匆趕到蔻若蘭的房間。

「跟我一起下樓，」他說道：「我們需要見見某個人。」

她察看了她的腕錶。「是郵差嗎？」

「來就是了。」他們下樓到酒吧裡。店東正在跟一名幫他整理這個地方的酒保分享一則下流故事，在他看到蔻若蘭的時候，沒有費心把故事縮短。等那故事講完，肯說道：「昨晚這裡有個男人，紅頭髮的。他的名字叫彼特。」

「彼特．韋爾？」店東謹慎地說道。

「如果你說是就是。他是教友派信徒[31]，不是嗎？良心拒服兵役者。」

「你怎知道這個？」他聽起來比先前更像是不愛聽任何人問問題，更不要說是聲稱為了牡蠣而來的美國人，這說法大概就跟他們聲稱來欣賞風景一樣「可信」。

「那女人給他一根白羽毛，她還說他的教會是懦夫。」

「他是個教友派，是欸，」酒保鬆口了。「那沒什麼不對。」

一個經常混跡酒館的好教友派信徒，但肯不打算強調這點。他敲敲吧台，很高興得到確認，因為這可能會把他們送上通往某處的道路，而不只是像他們到目前為止走過的其他路徑那樣，幾乎都是死路一條。「我們想跟他談談。」

「談什麼？」

「沒什麼重要的。」店東的眉毛流暢地表達了它們的懷疑之情。「我能在哪裡找到他？」

那男人一邊沉思著擦乾淨骯髒的木頭櫃檯，一邊在心中決定，分享資訊給其實不是來這裡度過僻靜假期，而是另有理由的外地人，到底安不安全。「他的房子在下面的硬灘上。在莫西島。」

「多謝。我要怎麼知道是哪一棟？」

「外面有個招牌，提供牡蠣販售。」肯再度感謝他，而店東望著酒保。另一個男人聳聳肩，就好像美國人的方式總是讓人很難理解。肯正要走向門口的時候，店東喊道：「他現在不會在那裡。」

「不會啊？」

「搭他的船出海了，去收漁獲。牡蠣不會就樣從海裡走出來，走進罐子裡。」

「確實。你知道他什麼時候會回來嗎？」

「可能四點或五點。」

這讓人很挫折，不過沒什麼辦法。

「好。感謝你。」

店東點頭作為回答。

「這是在幹什麼？」蔻若蘭把肯拉到一旁問道。

「書裡有個僕人，」他解釋道：「彼得．肯恩。他是個愛喝酒的紅髮教友派信徒。就像彼特．韋爾。這相當巧合——我想是太過巧合了。奧立佛這麼做可能有意、可能無意，但他的確把彼特．韋爾放進《沙鐘》裡了。我們需要找出他有什麼話要說。等他回來的時候我們就會知道。」

所以他們吃了他們的早餐，鯖魚與厚麵包，接著又再次回到沙鐘屋。白天時這裡看起來好些，但沒好多少。

「火真的傷害到它了。」肯說道。

「我真希望它已經整個打掉了。」

這是真的，比起任何其他事物，這棟房子在哭喊著它最需要一輛推土機。他們再度探索，

31 教友派（Quaker）又稱貴格會，正式名稱是公誼會（Religious Society of Friends），反對戰爭與暴力，主張平等與和平主義。

比起他們前一晚有的手電筒，日光照亮了更多東西，不過他們沒發現更多有用之物，空手而歸。

半小時後，他們一路步行跨越雷島，到達它的手足島莫西。莫西有些灌木叢跟大樹，比起表面上都是低矮灌木的雷島，這裡看起來像個花園天堂了。地面超過海平面的高度也更高，讓它大到足以假裝是座小鎮。有一兩間教堂，一條有些可悲店鋪的短短街道，還有海灘，也就是當地人稱呼的硬灘，就好像再多加一個字形容它會死似的。它是一條布滿碎石的連綿土地，深到足以讓漁船著陸，有個用防波堤強化過的天然港口。

幾間屬於漁夫的小屋挺立在濱海地區，男人們在那裡拿著罐子跟網子匆匆來去。有幾棟房子外面有提供貨物的告示板，但只有一個打出牡蠣廣告：一棟有擋風板的單層建築物。這是彼特·韋爾的房子，不過沒有人在家，就像酒吧店東事先要他們預期的一樣。

要做什麼來打發時間呢？他們並沒有多不勝數的選擇，於是決定在鎮上散步，參觀教堂，注視著漁船來來去去，並且不時去韋爾的小屋碰運氣，卻都撲空。「我在海邊長大，」蔻若蘭說著，在一張水泥長椅上坐下：「我以前覺得海很安慰人心。現在不這麼覺得了。」

「我可以理解這點。」

傍晚來臨時，他們決定應該再去拜訪韋爾了。

「你對此確定嗎？」蔻若蘭問道。

「妳是什麼意思？」

「我的意思是，你賦予奧立佛書裡的細節很大的重要性。」

他花了很多時間思考那本書，甚至當他們坐在濱海區，注視著船隻卸下它們的斬獲時亦然。

「他們說這叫做roman à clef：本身就是一把鑰匙的小說。這書本身解鎖了真相。而我剛剛才領悟到某件別的事情。」

「那件事情是？」

「那個『包打聽』角色——我想對我們來說，就是個偵探——在他想用化名的時候，就自稱庫利安。我只能猜想那指的是我的姓氏。我想奧立佛留下這個，當成給我的一個信號，以防萬一他出了什麼事。他想要我讓別人知道真相，如果他自己無法辦到的話。」

她在那裡坐了一會，考慮這個狀況。「你認為他知道即將發生什麼事？」她問道。

「我認為他知道這是一種可能性。妳覺得如何？」

她朝外眺望著大海。「覺得有責任。」

這一次，他們走近那棟小小的漁夫小屋時，窗簾從窗口被拉開了。透過一扇有裂縫的玻璃窗片，肯可以看見彼特．韋爾在角落裡一張很小的桌子旁，慢慢喝著一杯牛奶、吃一盤醃魚。這是單單一個房間，有一些火柴棒似的家具，還有一個區域用簾子隔開，創造出一個就寢空間。韋爾用他的叉子把魚推來推去，看起來毫無胃口。肯敲敲窗戶——同時害怕它可能會凹進去——而那男人猛然抬頭，左右張望，對於他的例行公事被打斷感到驚異。他小心翼翼地招手要他們進來。

這房間聞起來有強烈的海洋氣味。「你叫彼特，對吧？」男人點點頭，帶點疑慮。他不是別人會特別來拜訪的男人。「我的名字叫做肯．庫里安。我可以問你某件事吧？」韋爾咕噥了某句話，可能是表示同意。「多謝。告訴我，你這輩子都住在莫西嗎？」他再度咕噥一聲。「那挺厲害的。在我們來的那個地方，人老是在移動。有個家，而且知道那是你的家，一定很好。」

「確實是，庫里安先生。」韋爾似乎被那個奇怪的名字搞糊塗了，發音非常謹慎。不過看來很少有人跟他閒聊，他現在稍微安心了，所以很熱衷於保持某種對話。「你們來這裡度蜜月嗎？」蔻若蘭爆笑出來。肯則將笑意憋住。韋爾看起來大惑不解。「我很抱歉，庫里安太太。我是不是……？」

「圖克小姐。」她說道。

他的臉垮下來。一會以後，他的嘴巴開闔，動得像是在咀嚼。「圖……」

「圖克。蔻若蘭·圖克。這個姓氏對你有某種意義。」韋爾環顧這個房間，似乎很擔心有人會偷聽到。「對，我看得出來有。」

「這姓氏對你有什麼意義？」肯介入了。「彼特？」

這個人把皮革般的手指伸向他的杯子，然後又覺得最好不要，縮回了他的手。肯納悶地想，玻璃杯裡是否不只是牛奶。「我為妳的家族工作過。」他嘟囔道。

「你記得我嗎？」蔻若蘭問道。他聳聳肩，彷彿這麼做就會讓他解套。「我想你記得。」她停頓了一下。「你記得我哥哥奧立佛嗎？」聽到這句話，韋爾的眼皮抬起又落下。「他到過這裡，不是嗎？」他們之間的空氣又是一陣死寂。「他說了什麼？」

「彼特？拜託告訴我們。」

漫長的沉默。接著他打破了。「問過我關於妳媽的事。」

肯感覺到一股震動。就在這裡，道路上的分岔，會把他們從「死路」帶到「出路」。

「她怎麼了？」蔻若蘭質問道。這次，韋爾磨硬的手指一路伸向玻璃杯，把剩下的飲料都倒進他嘴裡。「彼特？」

「拜託。我不想被扯進去。」

肯迎向蔻若蘭瞥來的目光。他正要說話時，她已經把手放進口袋，抽出錢包。她打開錢包扣，抽出一張五鎊鈔票。她把鈔票放在桌上。那對韋爾來說可能是一星期的收入。他嘆息了。

這一切就只要花五鎊。可能本來還可以少得多。「不是他說的話，對吧？而是我說的話。我看到的事。」

現在真相在望。

「那是什麼？」

「不該說的。」

「我想你現在必須說了。」肯告訴他。

韋爾緊張地在手指之間滾動著那個玻璃杯。「那是在他們說她溺斃以後。」他短暫地抬頭望向蔻若蘭，又立刻低下他凝視的目光，表情羞慚。「在第二天。」

「是什麼事？」肯質問道。

「我在玫瑰酒館。」

「所以呢？」肯設法催促他講重點。

「一輛車來到外面。大車。不認得的車。」

「繼續說。」

然後關鍵一擊出現了。「我看到女主人的女僕，卡門，拿著某些東西到車上去。」

肯開始理解了。「哪種東西？」

「連身裙。女主人的連身裙。其他東西。她的化妝用具。不是她擁有的每樣東西。只有必要物品。」他的眼睛最後一次望向蔻若蘭。「如果她溺死了，那些東西是要去哪裡？告訴我啊。」

告訴我啊。肯想起圖克州長繼續造訪英格蘭，轉頭望向那個溺斃後還需要衣服的女人所生的女兒。這個女人的屍體從來沒被沖到淺淺的海岸線上。這個女人的忠實女僕曾經在死因審理法庭上撒謊，說見證了她的死亡。

「她還活著。」蔻若蘭用氣音悄聲說道。

而肯也想起佛羅倫斯的連身裙在奧立佛小說裡扮演的角色，那些衣服把她帶回生活的假象裡。或許奧立佛太常想到他母親的長裙，以至於把它們寫進小說。

「我經常想到這件事。」那個皮革般粗糙的男人對著自己嘟噥。

「我更常想到這件事。」蔻若蘭告訴他。

「你有告訴過任何人嗎？有跟任何人說過嗎？」肯問道。

「從沒說過一個字。」他聽起來真的充滿悔恨。「家務事。我似乎沒資格說話。直到妳哥哥來問為止。」

肯更進一步刺探，但這個男人沒告訴他其他有用的事。到最後，他們往外走進莫西的傍晚時分。

「她在哪裡？」他們走回去的時候，蔻若蘭問道。

「我不知道。我想奧立佛知道。但妳看。妳父親一年來這裡一次。他不是造訪她死去的地方，他是拜訪活著的她。所以我們假定它還是在英格蘭——可能在倫敦，好讓他能輕鬆到達。我們也假定，她被留在那裡。」他再度想起那本書。他把書從他外套口袋裡抽出來，翻著頁。他知道他需要的那一章。上面詳細寫著一次穿越倫敦的追獵，一場監禁，還有一個被揭露的祕密。

「這是真的。幾天以後，納森尼爾把我尋找的東西帶來給我。那是南瓦克聖喬治原野的一處地址。」

聖喬治原野。他立刻理解了。對，他自己見過那個地方，對於住在那裡的任何人都很同情。

「我可以猜到妳講那個地址的意思。」

「我想你可能懂。嗯，納森尼爾問我是否了解那些地方。我告訴他我曾讀到過，但從沒想過我會造訪其中一個。『不，小姐，不是很多人會這樣做。』

「第二天，我就搭一輛出租馬車朝那裡去。」

西緬插嘴了。「抹大拉悔改娼妓收容醫院，」他說道：「妳不會忘記那個名字。」

「是不會。所以，我站在這棟看起來很像監獄的磚造大樓前面。」

「肯，你是在告訴我……」

「我不知道。那名字很瘋狂，但我不知道那個地方是真的存在，還是奧立佛完全憑空捏造。這值得一試。」

「怎麼試？」

「喔，這個國家一定有電話號碼資訊系統吧。」

他們匆匆回到酒館，店東指引他到角落裡的一台電話前。這可能是方圓數哩內唯一的一台。硬幣落入投幣孔，蔻若蘭注視著肯對著話筒說話，等了幾秒鐘，再度開口，又等了好一陣，接著在感謝另一頭的不論何許人掛了電話。「倫敦沒有列出那個名字的地方。但它很有可能有個不同的名字。」

「所以呢？」

「我們無法今晚就到達，不過明天我們就去倫敦，我們來追獵它。」

第十四章

他們在吃他們的鯖魚早餐時討論倫敦之行，這時店東很隨性地打開話匣子。「所以，你們先前想跟彼特談什麼？」

肯不想讓每個人都知道。「沒什麼特別的。」他這麼說，企圖讓談話不了了之。

「那麼，跟圖克家沒關係吧？」

肯吞下他滿嘴的魚。企圖規避話題沒有意義。「是，是有關係。」

「那麼妳就是圖克小姐了？」店東冷靜地把話題拋向蔻若蘭。她眨著眼睛表示同意，肯心想，她臉上的表情可以擊倒一個海軍陸戰隊員。

看到這個，店東決定在他們這桌坐下來。「我很清楚記得你們家，」他說道：「我父親稍微為他們做了點工作，東一點西一點。現在想起來，我祖父也是。」他用潮溼的手摸著他的下巴。「很健美的女人，妳媽，」他停頓了一下。「那很可惜。一切都是為了妳哥，不是嗎？」

這個男人就像一夸脫的廉價威士忌一樣細膩委婉。「可能是，」肯說道。「我們在這裡是要找出我們能找出的事情。」

「找出？你們要把所有事情挖出來？」

「我們要把所有事情挖出來。」蔻若蘭做出肯定答覆。

店東去了吧台，從那裡伸手拿出兩個盤子，他臉上有種深思熟慮的表情。「你們知道查理・懷特的事，對吧？」

知道他？查理・懷特在《沙鐘》裡是個二十歲的粗魯男子。他的表親，約翰與安妮的命運，是故事的核心。有時候很容易忘記書中的事件，是以幾乎六十年前發生在奧立佛祖父身上的事情為基礎。那些事件跟這個家族在一九一五年發生的事情有關聯嗎？在這一刻，肯準備好賭上一切了。「對，我知道。」肯說道。

「有人去找查理談話，談到了……他叫什麼名字來著？亞歷斯？」

「是誰去跟他談？」肯問道，雖然他大致上有概念了。

「那些警員。」

「為什麼？」

酒館主人對著蔻若蘭說話。「在你哥哥不見的時候，有人看見他在你們家房子附近。沒有理由出現在那裡。說他去散步。誰在雷島上散步啊？如果你問我，我會說這有問題。」他靠著吧台穩住身體。「但我憑什麼說話？那是好久以前的事了。」

「他還活著嗎？他還住在這裡嗎？」

「查理・懷特除了地獄哪都不會去，」店東吐出這句話作為回應：「如果我是你，我會保持距離。」

「絕對不可能。」

店東嘆了口氣。「不。喔，他現在肯定快要八十歲了。我上次聽說他的時候，他跟瑪格斯・普羅特洛窩在一起。他在莫西島上有間很不錯的小屋。」

如果查理．懷特的小屋曾經算得上是「很不錯」，那些日子肯定已經消失在歲月中了。那是間看起來嚴重漏風的茅舍，至少一半的窗戶都不見了，前門曾被踢破過，用木板很蹩腳地釘起來。從外觀看來，這樣釘不止一次了。

當他們接近門口的時候，一股難聞的烹飪氣味爆了出來，緊跟在後的是一個戴著骯髒亞麻帽子的六十來歲女人。她怒視著走近的這一對男女。

「你們這些怪胎是誰？」她尖聲說道。

「我們在找查理．懷特。」肯的口音或語調讓她整個人僵住。她先瞪著他，又看著小屋。

「要幹嘛？」

肯認為他們頂多只能得到這種程度的邀請了，就大步走向門口。「查理．懷特？」他喊道。

一個一度身形魁梧，現在皮膚卻鬆垮下垂的男人，步履蹣跚地走到門口，擺臭臉跟吐口水輪流來。「我認得你嗎？」他質問道。

查理．懷特不是什麼知識上的巨人，但他臉上有種動物性的狡獪。肯心想，最好直來直往。他說了他們是什麼人。那狡獪的表情加深了，懷特張開嘴，露出一排酒鬼的大牙。

「我能如何效勞？」他冷笑著說道。

回答的人是蔻若蘭。「對於我哥的失蹤，警方跟你談過。為什麼？」

「為何不？我就在『附近』，他們這麼說。很久以前了，小姑娘。」

「你有在那裡看到任何人嗎？任何可疑的人？」

「連隻貓都沒看到。」他交叉著他的手臂。他很享受現狀。

「警方怎麼說？」

「這得問他們，不是嗎？」

「他們現在可能已經死了。」

「希望如此。」

「你一定知道些什麼。」

「我知道很多事情。這不表示我會跟妳說。」

「你那時為何在那裡？」

懷特沒有回答那個問題，反而靠在門框上冷笑。「你知道嗎？我剛剛想起某件事。妳從沒住在這裡。從來沒有。所以妳聽說過的所有事情，妳都是從他那裡聽來的。」

「從誰？」

他嚼著那個名字，就好像那是廉價的菸草。「西緬．圖克。」他暫時停頓，目光銳利地注視著他們。「所以說，妳對於妳祖父真正知道些什麼，小姑娘？我是說，真正知道？」

「比你知道的多上許多。」

他大笑。「是嗎？喔，那麼就該由我告訴妳他的某些事情。」

「繼續說。」

「他是個詐欺犯。」他的臉迸裂開來，變成他能盡力做到最像微笑的東西。「妳知道他總是想要那棟房子嗎？」他指向雷島的方向。「無論如何，這是人家告訴我的。小時候在那裡玩，長大成人以後便把目光鎖定在那裡。他們說，他不擇手段要得到它。不擇手段。幹掉了他叔叔或表親或諸如此類的人，好讓自己得手，他們這麼說。不在乎這過程裡誰被整慘，誰變得貧窮。」

蔻若蘭的眼睛瞇了起來。這是個很要命的揭發——如果那是事實。但無論如何，這跟奧立佛的故事一點都不像。「你說『被整慘』是什麼意思？」肯問道。

「誰？」他再度嚼起那隱形的菸草。「我表親約翰。你聽說過他？」

蔻若蘭開口了。「是我祖父找到他的。」

「是啊，是啊。很有意思呢。他在正確的時間，剛好就在那裡。在他找到約翰的地方找到某個人？很奇妙，不是嗎？」

「你是在說他跟這件事有某種關係嗎？他甚至不認識你表親。」

「他不認識嗎？他說他不認識。妳怎麼知道那是真的？」懷特的表情變得更陰沉了。「現在呢，我受夠了。滾吧。」他拉開他骯髒的無袖上衣，露出塞在他皮帶內側的刀子木柄。

⌛

他們在回到酒吧的路上談了這件事。一切都變得像雷島周圍的海水一樣混濁昏暗。奧立佛發現的到底是什麼？他企圖告訴別人的事情是什麼？有這麼多的家族祕密：亞歷斯、佛羅倫斯、奧立佛、西緬。但話說回來，它們可能都是同一個祕密。這是個可以琢磨的想法。

他們走進玫瑰酒館的時候，店主招手要他們過去。「告訴我一件事，」他說：「你們在這裡有朋友嗎？」

「朋友？」肯問道。「沒有。」他已經開始不喜歡這番對話的走向了。

「好。」酒保交叉起他的手臂。「只是有人在問。」

「問我們的事？」

「對。聽起來也像個美國佬。一小時以前進來，問他的同伴是不是住在這裡，因為他弄丟了他們住的酒館名稱。完全鬼扯的故事。這裡方圓好幾哩內只有一間酒館。我告訴他我從沒聽過你們。不知道他信不信我，不過他又上路了。」

「他看起來像什麼樣？」對於這傢伙看起來像什麼樣，肯有個該死清楚的想法。

店主聳聳肩。「棕色頭髮。我想跟我一樣高。相貌普通。」

「而他直接講名字找我們？」

「是啊。」

肯把蔻若蘭帶到一旁。這是個壞消息。是啊，這聽起來很像是在他們趕飛機之前把他推到鐵軌上的男人。

「我們要怎麼做？」她問道。

「維持原訂計劃，直接去倫敦。」

他們搭計程車到柯契斯特，再搭火車去倫敦，隨身帶了幾樣東西，以防他們要過夜。肯心裡一而再、再而三地想起，他們正在回溯佛羅倫斯在《沙鐘》裡的腳步。在他們的車進入利物浦街火車站的時候，他幾乎可以看見一位腐敗的小郵局局長，手心發癢就想拿錢，還有個全身黑衣的教區牧師從火車上下來。

他們繼續追隨她的腳步，搭了一輛計程車到南瓦克的聖喬治原野——那塊區域還在，不過時間帶來很大的變化，而且不是往好處發展。現在的聖喬治原野沒有太多原野了，只有一堆骯髒的街道，到處都是公車與營養不良、臉孔像劊子手的孩子。很不協調的是，空氣中播放著像是音樂的東西，肯忍不住哼著充滿神聖與希望的歌詞，他自己甚至沒注意到。

蔻若蘭卻注意到了。「你在幹什麼？」她問道。

他領悟到自己在做什麼。教堂鐘聲曲調悅耳的鳴聲讓他想起一首歌，而那首歌占據了他的腦袋。「沒什麼。我們到處問問。」他們詢問的第一個人，一個用手推車賣水果的小伙子，從沒聽說過抹大拉悔改娼妓收容醫院。事實上，他聽到那名字就竊笑，然後色瞇瞇地看蔻若蘭，這讓他挨了肯幾句嚴厲訓斥。另外還有幾個路人，在菸草店門外數零錢的家庭主婦、靠在一間店門外的醉鬼、拖著一條髒狗的女孩，他們都幫不上忙；而在他們問到最後一個人的時候，肯再度注意到空氣中的音樂——同樣的教堂時鐘每一刻鐘就響一次，播放一小節音樂。

他們在一個路邊角落的咖啡店裡休息。某個稱為「茶蛋糕」的東西——不過就是烤過的麵包，裡面點綴幾顆孤零零的葡萄乾當裝飾——跟味道很淡的咖啡一起被送上來。他們啜飲著飲料，嚼著食物。他們沒有說話，唯恐這樣可能為他們的追尋帶來霉運。他們再次回到街頭，向那些把他們看成瘋子的人發問。一對憤怒的夫婦、一個不知今夕何夕的老女人、為毫無線索而道歉的一家子、一個爆出笑聲還吐出聽似希臘語的男人、一對搖了更多次頭的夫婦，然後，終於出現一個確實知道某些事的弓形腿老人。

「那就是。以前是，」他用一種要是有任何人能聽懂，不啻為奇蹟的口音宣稱。他指著一批十八世紀的建築群。「現在再也不是了。現在是住宅。像那樣已經五十年了。」奧立佛故事裡的濟貧院已經在半個世紀以前被變成公寓了。蔻若蘭的母親不太可能在那裡。又一條死路。

「它搬家了嗎？」蔻若蘭問道。

「搬家？『以』院嗎？」

「對。」

男人撫摸著他的下巴。「現在想來，確實是搬了，對啊，它搬了。不過它也改了。」

「怎麼改？」

「變成一間學校。女子學校。當然改了名字。」哎，對此不太可能出現相持不下的爭執。

「我想，是搬去史崔頓。」

蔻若蘭氣急敗壞地咒罵。她母親也不可能在那裡。

肯聆聽著這番交談，但他有一部分心思在別處。那一部分固著於空氣中的旋律。是的，那是鐘鳴聲。他在心裡聽見與旋律相符的歌詞。「無助之助，喔，求主與我同住……」而那些歌詞開始從他嘴唇裡爬出來。蔻若蘭瞪著他看。他忽略她，唱出更多歌詞。他抬起頭來聆聽。那曲調在他們周遭。不，它是從前面的馬路上來的。但這不只是隨便一首歌，這是佛羅倫斯在奧立佛的故事裡，一聽到教堂鐘聲敲著它，就兀自反覆唱著的聖歌。而現在附近的教堂鐘聲正敲著這首歌。

「走這邊！」他喊道，衝進下一條馬路。曲調很快就要演奏完畢了。這是教堂時鐘會敲響的最後一刻鐘。蔻若蘭瞥了他一眼，那眼神裡說他失心瘋了，卻還是跟上他。

肯跑了二十步，突然停下，努力凝神聆聽。這曲調已經演奏到最後幾個音符了。他轉向右邊，跑進一條狹窄街道，光是有一對在那裡擁抱哭泣的老夫婦就擠滿了通行的路。這旋律在他前後張望這條街道的時候就停了。「它到底是從哪來的？」在蔻若蘭出現在街道前端的時候，他這麼質問她。

「什麼？」

「那個……」然後他的祈求得到回應了，因為同樣的鐘聲在整點時又響起：十二下。他靠著它們穿過一條潮溼的通道，進入另一條街。他終於看到那建築物了。「在那裡。她在那裡。」

在道路盡頭，鐵門關住了一棟小房子。黃色的忍冬花爬滿了牆壁，而牆上的一塊老金屬牌說它是耶路撒冷艾格尼絲姊妹修會醫院。這個地方有種氣氛，像是正等著從一場夢中被喚醒。透過鍛鐵門，肯看到朝各方延伸開來的建築物把不同風格的拼貼湊在一起。至少它看起來維持得很整潔。他很納悶蔻若蘭看到這一切，知道她母親可能就在裡面的時候有何想法。從死者中回歸，如果實際上不能說是復活的話。

就像雷島上的沙鐘屋，門上有個老舊的鐵製拉鈴索，肯猛扯了一下。它肯定在某處響起了，因為一名穿著簡化版修女袍的年輕女子迅速來應門。

「我能幫您什麼忙？」她的愛爾蘭腔調不可能再更重了。肯總是把愛爾蘭人想成醉鬼、粗魯的警察或修女，雖然有哪種國家能夠只製造出這三種專業人士，對他來說還是個謎。

「我們要來這裡見……」他開口了。

「……我母親，」蔻若蘭說完這句話。這是她的家族故事，不是他的。「佛羅倫斯．圖克。」

那名年輕修女一臉茫然地看著她。「這裡沒有叫這個名字的人。」她搖搖頭說道。

肯看到蔻若蘭臉頰上有某種東西湧了上來。「我知道她在這裡。帶我去找她，否則妳要帶去她那邊的就是警察了。」

修女緊張地眨著眼睛。「我向妳保證，這裡沒有人叫那個名字。如果妳想找一位警官過來，妳可以這麼做，而——」

「如果妳逼我，我就會。」

「這樣不會造成任何差別。信我的話。」

肯把手放到蔻若蘭肩膀上。那年輕女人的表情裡有某種東西讓他相信了她。他們穿過塵封紀錄、越過凍結水面與泥濘路徑走過的這趟旅程，全都要結束在這裡，在倫敦的一道鐵柵欄前。失望是一劑又苦又烈的藥丸。

「怎樣？」蔻若蘭質問他。

「我想她說的是實話。」

「那她見鬼的到底在哪裡？」在這同時，那修女注視著他們，臉上的困惑明顯可見。

「我不知道。我們離開吧。我們——」他的話中斷了，因為他心裡有某個東西拼起來了。修女的原話：這裡沒有人叫那個名字。還有這些話的涵義。「她被認為已經死了。他們當然用別的名字登記她！」

「抱歉？」那修女嚇了一跳，這麼回應。

「她在這裡。在你們修會的某處，有個大約五十歲的女人，她從一九二〇年起就在這裡了。」

「我們……我們有許多病人在這裡待那麼久了。」現在這些人或許不只是瘋子，她聽起來更加緊張了。

「這個女人有某種獨特的地方，」他說：「講話有美國口音。」修女的眼睛瞪大了，然後她迅速地轉頭一瞥她背後的建築物。「我是對的，不是嗎？」

年輕女子猶豫著，點頭承認了。「她是妳母親？」她問蔻若蘭。

「對，她是我母親。我想見她。」蔻若蘭保持冷靜，雖然肯有種感覺，門後那個年輕女子不該再拖拉太久。

「我只知道她叫潔西嘉。可是……」她話說到一半就停了。

「沒有可是。」蔻若蘭把臉靠向黑色的鐵柵欄。「我不會再問妳一遍。」唔，威脅一名修女真是可圈可點啊，但實在沒多少別的辦法了。

「我……需要跟院長談過。」

「妳需要打開這道門的門鎖。」

肯插手了。「去問她，」他說道，讓場面冷靜下來。「我懷疑她其實知道圖克太太的真名。請告訴她，圖克太太的女兒在這裡。任何親近家人都有權利見他們心愛的人吧？」

「呃，是——是啊。」修女結巴了。她猛吞一口口水，匆匆地朝著建築物裡走。

「我想宰了我父親，」蔻若蘭低聲說道：「他怎麼敢這麼做？」

「我們不要太快下結論。」肯這麼告誡。他有種感覺，事情可能不像表面上看起來那樣黑白分明。而在激情澎湃的時候，最好保持冷靜的頭腦。

等待回應的時候，她從頭到尾，徹底抽完兩支菸。

到最後，年輕的修女回來了，但不是一個人，還有一名用巨大包頭巾框住臉的粗壯女子大步朝他們走來。

「午安。」她說道，雖然她的語氣說的是這個下午很不安。

「午安，」肯這麼回應，趁蔻若蘭還來不及說出他猜測她正在想的更刺耳話語。「我們來這裡見佛羅倫斯．圖克，或者『潔西嘉』，這是你們對她的稱呼。這是她女兒，蔻若蘭。」

「而你是？」

「一位家族友人，肯．庫里安。」

「律師？醫生？」

「都不是。」

「那我為何要理會你？」她沒有等待回答，只是對蔻若蘭說話。「我們不會容許妳跟我們的任何一位病患說話。首先，我甚至沒有證據證明妳是妳自稱的那個人。」

蔻若蘭打開她的皮包時幾乎把它扯碎了。她抽出她那包皺巴巴的納特．雪曼，把它扔到門腳旁邊帶刺的雜草叢裡去歇息，然後才找到她的支票簿。比較年輕的修女彎下腰去，悄悄撿起香菸盒。蔻若蘭拿出那疊銀行匯票。「我的名字就在那裡。」她說著，展示出一張。

年長修女透過欄杆從她那裡接過匯票，檢查著它，就好像她可能有辦法偵測到某種偽造的跡象，然後才把它交回去，那種姿態指出它是不乾淨的。

「妳剛才讓我看了一本銀行支票簿。美國的。我根本不知道那是不是妳的。」

「妳的護照怎麼樣？」肯提出建議。

「它在我的行李袋裡，放在玫瑰酒館。」

「那麼，」修女說：「如果妳是妳聲稱的那個人，妳會有辦法寫信給修會醫院，而我們會用相同方式回應登記過的通信地址。也就是說，如果妳聲稱是我們病患的女人，真的在這裡的話。」

「妳天殺的知道她在這裡。」肯嘟噥道。

「那麼你就不會有任何問題了，對吧？」她帶著一抹淡淡的獰笑回覆。「走吧，茱莉亞姐妹。」握著門的茱莉亞姐妹，跟著較年長的女人走了。不過她轉身離開時，她抓著鍛鐵欄杆的手上落下了某樣東西。是那個菸盒。

「她們真該死，」蔻若蘭低聲說道：「她們根本不在乎。」

「是不在乎。」肯這麼回應，那個紙盒讓他分心了。

「我母親可能會死在那裡，我卻被擋在外面。」

他的視線還在那盒納特．雪曼上。「等一下，妳看。」

「看什麼？」

他停下來，把手穿過扭曲的金屬欄杆伸向菸盒。它是濃烈的綠色，而且炫示著用金色草寫字體寫出的品牌名稱。但在商標底下有些用鉛筆寫下的字：「東門。一小時。」

「我想我們的年輕朋友，良心比她的老闆柔軟些。」他把它拿給蔻若蘭看，這麼說道。

第十五章

「妳記得任何關於妳母親的事嗎？」他們在東牆一個厚重的門外等候時，肯問道。

「我記得她很和藹。」蔻若蘭停頓了一下。「不是某個特定的舉動，比較像是她周遭的某種氣氛。我想身為母親就是那樣。」她凝視著一棵松樹，在炎熱的正午光線下綠得發亮。

「是，我猜是這樣。」

一個金屬噪音出現，讓他們警覺到大門另一頭的動靜。沉重的門閂被抽回去。大門鬆開了，茱莉亞姐妹謹慎地往外張望。當她看到他們身旁沒別人，她一語不發地往後站。

他們迅速而感激地跟著她穿過空地，保持在灌木叢與大樹的邊緣，直到他們來到一棟外表粗糙的建築物前，這裡跟主屋之間靠一條有遮蔽的走道相連。來自深處的聲音從建築物裡飄出來。修女從她的袍子裡拿出一堆鑰匙，讓他們進入一條塗成白色的通道，在那裡種種聲響變得紮實，成了混在一起的嗡嗡聲與唱誦聲。

「現在是午間祈禱時間。」這名年輕女子悄聲解釋。

「誰在祈禱？」肯問道，雖然他已經知道了。

「病患們。她們請求上帝慈悲。」

蔻若蘭眼睛後面有某種東西在燃燒。「我母親在哪裡？」她質問道。

修女帶領他們繞過一個轉角，經過一道道有沉重大鎖、還有數字用螺絲固定在木頭上的門。全都刷了薄薄的白色油漆。這位姐妹停在五號門。裡面傳來一陣悄聲細語，迅速又低沉，就好像說話的人有某件很緊急的事情要說，卻沒有時間這麼做，這聲音到達他們這裡，而年輕修女聆聽了一會，才把鑰匙插進去。

當她打算轉動鑰匙的時候，她停頓了。「拜託，請記得她在這裡很久了。她跟妳記得的她很不一樣。」他們頭上排成長鏈的電燈嗡嗡作響。

「別人告訴我她死了的時候，我六歲。」

修女試著要說什麼，但訝異讓她反應不過來。她放棄了，敲了敲那扇門。「潔西嘉，」她說。然後，充滿猶豫地：「佛羅倫斯？」悄聲細語停止了。儘管外面有熱氣，懸在這裡的空氣卻是清冷的。「佛羅倫斯，這裡有人要見妳。是訪客。」又爆出另一陣悄聲細語，甚至比先前更快。

鑰匙轉動了，門在它自身的重量下旋轉著打開。他們望進一個小房間，就像是隱修房。在幾乎觸及天花板的高處，只有單單一扇窗戶，有一道琥珀色的光束從那裡被過濾進來。它強烈地照耀在一面牆上，塵埃懸浮著，牆上滿是基督釘上十字架的圖像；他的腰際有穿刺傷，他的頭被荊棘冠劃破。救世主的臉是灰燼的顏色，說出了被世間所有道德罪惡拖累的男人所承受的苦難，還有用他的圖像覆蓋四壁的女人的痛苦。

那個女人正跪在水泥地板上，面對著一個就在窗戶之下，被釘在牆上的木製十字架。光線讓她黃色的連身裙像太陽一樣地燃燒。在她右手邊是一串玫瑰念珠，在地板上拖曳。他們能看見的她，就只有她往前彎的背。

「潔西……佛羅倫斯？」那位姐妹問道。悄聲細語再度開始，現在慢下來了，同時她的手指依序觸碰著念珠。

「第四個痛苦奧蹟。耶穌背十字架上山。[32]」聲音在房間四周反彈。就連牆壁都不想要它們。

「佛羅倫斯，我們在這裡。」

「……妳充滿聖寵。主與妳同在……」

「媽媽。」那名字像石頭掉進水裡那樣落下。

他們全都等待著。跪在地板上的女人僵住了。抓著玫瑰念珠的手縮到她胸口。「那是誰？」她的口音來自紐約。

「是我，媽媽。」

背由彎變直，女人的頭抬了起來。她的頭髮一度是深栗色，肯這麼想著，不過現在它是灰色的了。

「蔻若蘭。」她的聲音不再是悄聲細語。那聲音說話了，低而警惕。

「是。」她走上前去。

在她這麼做的時候，她母親轉過頭來。佛羅倫斯·圖克的臉，一度隨著富裕生活的安逸而

32 虔誠天主教徒會用玫瑰念珠來幫助計數，每天唸誦一百五十遍《玫瑰經》，同時把注意力集中於耶穌與聖母的生平奧蹟，歡喜五端（Joyful Mysteries）、痛苦五端（Sorrowful Mysteries）、榮福五端（Glorious Mysteries）；其中的痛苦五端，第四端就是耶穌背十字架上山。在二〇〇二年，當時的教宗若望保祿二世又建議追加光明五端（Iluminous Mysteries），等於每天要唸誦兩百遍《玫瑰經》。

顯得細緻又豐饒，現在已經加上了贅肉、皺紋、年齡與煩惱。當然了，它還是從報紙上往外張望的同一張臉。而那雙眼睛，它們是黑色的，沿著四壁朝著她後方的三個人緩緩爬去，毫無興趣地越過那年輕的修女，越過肯，朝向她最年幼的孩子。

「蔻若蘭。」她再說了一遍，而且說得很滿足，就好像她等了一輩子要說出那些音節。那些耶穌的臉孔，死去與活著的臉孔，盯著他們所有人。佛羅倫斯舉起玫瑰念珠，親吻它並把它掛在自己脖子上，同時繼續凝視著三個闖入她祈禱儀式中的人。

最後，她把身體轉過來面對他們。光線讓她周遭出現一層朦朧薄霧，像是野火的餘燼。在她張開雙臂的時候，強烈的光傾注在地面上。「我向祂祈求妳會來，」她說。蔻若蘭走向前去，毫無畏懼。「妳會親吻我嗎？」

蔻若蘭只能握起她母親的雙手。但有個問題，甚至等不及她做完這件事再問。「妳為何在這裡？」她問道。

佛羅倫斯露出微笑，就好像那是她預料中的唯一回覆。「是啊。是啊，為什麼呢？」

「父親把妳安置在這裡嗎？」

佛羅倫斯轉回去面對牆上的十字架。「從某種意義上說是。」在那些拿撒勒的耶穌圖像之中，肯看到有一幅別的圖片。那是一幅家庭肖像的副本。他以前兩度看過這張圖片：一次是掛在家族宅邸的一面牆上，一次是在畫質粗糙的報紙印刷上。

「在什麼意義上？他逼妳來這裡嗎？」

這名較年長的女子把她的頭髮撫平。那頭髮經過完美的梳理造型，就好像她花了極大的力氣在這上面。「逼我？」

茱莉亞姐妹插進來調解。「我想妳不了解。」

「妳是什麼意思？」

「妳母親不是被扣留在這裡。她是自願到這裡來的。所有病患都是。」

佛羅倫斯移動到房間角落裡的一張床上，而在她走動時，肯聽到一個奇特的雜音：一種他無法辨識的機械性鏗鏘響聲。她坐在床上，整潔而靜止，就好像耐性是她在這許多年裡學會的某件事。「我一直想著妳，時時刻刻，」她像在作夢似地說道。「我有向亞歷山大問起妳。」

她被綁架的兒子。所以她在跟死人說話。那不是個健康的跡象。

「妳跟亞歷山大說過話？」蔻若蘭輕柔地催促。

佛羅倫斯轉身凝視牆上的家族肖像。他們全都在那裡：州長、她、他們的三個孩子。但在畫布上的油彩後面，其中兩個人物已經死去，還有一個被關了起來。

「他來看我。」

「那是什麼時候？」

「什麼時候？」她的心思變得虛幻飄渺。「喔，上星期。去年。時間在這個地方似乎眨眼就過。」

是的，沒有腕錶或者日曆會有這種效果。肯瞥了那修女一眼，但她沒有答案可說。

蔻若蘭坐在床上，在她母親旁邊。「亞歷斯死了，媽媽。超過二十年前的事了。」

肯知道，這番揭露只會是兩次創傷中的一次。他們會暫時不說出她另一個兒子的死訊；現在把這個消息砸到她身上，可能會有嚴重後果。「這裡有醫生能跟我們談談她的狀況嗎？」他低聲問那位修女。

「現在沒有。他明天會到這裡來。」

「妳在說什麼？」佛羅倫斯問她女兒。

「亞歷斯死了。在他四歲的時候。」

佛羅倫斯在床上往後坐，露出淡淡的微笑。「不，親愛的。他上個月才來見我。我們講過話。我很久沒看到他了。」

「媽媽，他再也不在人間了。」

「妳為什麼要那樣說？」歡樂的表情從她嘴唇上消逝了。

「我很抱歉，但這是真相。」

「他就坐在妳現在坐著的位置。」

有一陣猶豫。「我不認為。」

「我知道他來過。」

「媽媽，妳怎麼知道那是他？」

「我怎麼知道那是亞歷山大？」

「對。」

「一個母親認得她自己的小孩。」她帶著平靜的信心回答。

聽到這句話，肯想起了某件事。這可能只是因為她認得自己的孩子，卻認出錯的那個。

「圖克太太，」他說：「有可能是妳的另一個兒子，奧立佛來看妳嗎？有這個可能嗎？」

她凝視著他。「喔，不，不。不是奧立佛。是亞歷山大。肯定是。」

「不，媽媽。」

「她有在吃任何藥物嗎？」肯問修女。

佛羅倫斯放鬆下來，對自己感到很自豪。「他們有一陣子曾給我藥丸，但我發現那樣會很難思考。」

「她不吃藥了，」茱莉亞姐妹說：「我們認為不要逼她吃比較安全。」

「比較安全！」佛羅倫斯笑出聲來。「對你們比較安全。」

肯讀過的新聞報導描述了一位喜歡畫水彩畫的社交界女主人。她曾經是那樣的溫柔化身，或者她從一開始，體內就有一股陰暗的火焰？而她堅持她死去的兒子曾來拜訪她，按照個人觀點的不同，這可能是表現出一種根深蒂固的宗教信仰，也可能是同樣根深蒂固的瘋狂。

「醫師們想要幫助妳。」

「不要再找醫生了，」這個心神不寧的女人威脅道。「他們把我放在這裡。他們在背後主使一切。都是陰謀。」她憤怒地大步走向房間對面的角落。輕微的鏗鏘聲跟著她。

「這是一種常見的妄想。」修女盡可能低聲說道。

「妳知道什麼，小女孩？」佛羅倫斯厲聲說道，表情很邪惡。「你們任何一個人知道什麼？」

「妳的醫生——」

佛羅倫斯打斷。「對。那個醫生。去問他。他在背後主使一切。他跟我丈夫合謀。」

「哪個醫生？」肯問道。

她變得更憤怒。「那一個。有張破嘴的那個。我跟亞歷山大講過他。還有注射。」

肯對茱莉亞姐妹說話。「妳知道她指的是誰嗎？」

她搖搖頭。「妳是不是有點搞混了，佛羅倫斯？」

蔻若蘭的母親忽略了這個問題。在她身體改變重心的時候，那怪異的金屬噪音又出現了，就像有人在輕敲一個錫罐。「那是什麼聲音？」肯問修女。

但回答的是佛羅倫斯。「那是我的罪惡，」她悄悄說道：「我所犯之罪的紀念物。」

「什麼？」

作為回答，佛羅倫斯彎下腰去，捏著她的連身裙布料開始往上提，她的眼睛鎖定了他的。

「媽媽。」

「噓，孩子。」而那棉布從她的肉身上往上溜，暴露出裸露的小腿，接著是她粉紅色的大腿。「這裡，你看到我的罪了。」連身裙被拉得更高。修女讓自己垂下頭，就好像她知道接下來會出現什麼，而她不想承認。然後裙邊拉高到一圈裝著尖銳倒刺的金屬鏈環上。那些刺全都轉向朝內，刺進發炎的皮肉裡，戳得皮膚上出現針孔大小的血。「我用肉身苦修來補贖我做過的事。」她快樂地注視著那個東西。「而透過我的罪惡紀念物，我將會坐在上主的桌前。」她抬起頭，輪流凝視著房間裡的另外三個人。「你們也該補贖你們的罪惡。」

「那是什麼鬼？」肯質疑著茱莉亞姐妹。他憤怒與驚訝的程度相當，憤怒勝出了。

「一條鋼毛帶[33]。她是對的，宗教上來說是。不過……」

「不過怎樣？」

「我們不會把剛毛帶用在病患身上。這是給修會成員用的。」她碰一下她自己的大腿，肯就明白了。「她求我們給她一個。到最後，院長說如果她想要像我們修會的成員一樣生活，那沒有什麼好羞恥的。她得到她想要的。」

佛羅倫斯再度拿起她的玫瑰念珠去碰她的嘴唇，開始對自己唱誦。「第一個痛苦奧蹟……」她體內的火焰退卻了，而她開始不理會旁人，只管自己。

「有時候是你想要的東西才會殺死你，」蔻若蘭注視著她母親，這麼說道。「所以如果她不是被扣留在這裡，她可以離開囉？如果她想，現在就離開。」

修女看起來像是後悔開口了。也許她早該猜到一個女兒心裡想到的第一件事會是什麼。「嗯，是啦，但我不確定那是個——」

蔻若蘭不容她打斷。「媽媽，妳想離開這裡嗎？」

「拜託，我們可以在走廊上談嗎？」修女急切地問道。

她們退出去，留下肯跟佛羅倫斯獨處。她對著他微笑，而他不可能錯失她嘴唇上綻開來的某種暗示；一種遺忘久矣的賣弄風情暗示，就像派對結束之後遺留在空氣中的香水味。這不是好看的場面。

「你叫什麼名字？」

「肯，」他告訴她：「肯．庫里安。」

「你要帶我走嗎，肯？」她說道，她的聲音帶著氣音。「只有你跟我？」她站在午後陽光的橘色光線之下。他納悶地想，這是否一度是她的生活、她的人格中的一部分。報紙永遠不會報導這一點，因為上流階級總是團結一致，對抗那種醜聞。她靠得更近。「會只有你跟我

33 Cilice泛指用不舒適的帶刺布料或金屬做成的衣物或帶子，中文有時會直接被譯為剛毛襯衣，但此處佛羅倫斯配戴的顯然是帶狀的帶刺鏈環。

嗎？」他抬頭看著家族肖像。她看到他凝視著什麼地方。「那全都沒有了。」

她再度靠近，而他舉起一隻手，把她從他身邊擋開。「我想那不是個好主意。」他說道。

「這會對我們兩個人都很好。」

「不。」

「為何不？」她嘟起她的下唇，一個差勁女演員演出的鬧脾氣姿態。

「妳在這裡很安全。」

有一陣暫時停頓，然後她再度開口。「肯說他要帶我走。只有我跟他。」

他猜到發生了什麼事。他轉過頭去，看到蔻若蘭跟修女重新走進房間。「你對她說了什麼？」那名姐妹質問道，她沒有費事掩飾指控語氣。

「什麼都沒有。」他回答。企圖解釋沒有意義，而且這樣看起來會很沒品。佛羅倫斯坐在床上，但她的微笑還留在那裡。

「到外面來，」蔻若蘭說道。她，那個修女跟肯都退入走廊商談。「我想帶她回家。」蔻若蘭宣布。

「但這樣對她來說會是個可怕的打擊，」修女回答：「她會怎麼因應很難說。」

「那由我們來決定。」

「妳需要跟院長談過。」

蔻若蘭暫停了一秒。「我想知道那醫生是誰，她講到的那一個。」

「我完全不知道。我很抱歉。」

他們聽到佛羅倫斯再度開始悄聲細語，又快又低沉。

「我們可以試著找到他，」肯說道。「不過妳確定妳想帶走她嗎？現在？」

「如果我等，我父親就會發現我們在這裡，他可能會阻止。他可能會把她轉移到別處，我們就永遠找不到她了。」

肯不確定。他不知道正確的做法是什麼，而且不想做任何事後回顧會顯得瘋狂的事。「我們還不知道他為什麼這麼做。」

「無論是什麼理由，」她說道，她凝視的目光緊盯著他：「她不要整天都被這些圖片環繞，對她會比較好。如果她進來以前沒有發瘋，那樣的環境就足以讓她發瘋了。她要跟我們走。」

在他能回答以前，一個新的聲音出現了。那聲音動搖了他們的立論基礎。「那不是你們可以做的決定！」院長加速朝著他們這裡走來。在狹窄的走廊上，她背後還有某個人保持同樣步調。

「那是誰的決定？」蔻若蘭質疑。

而院長背後的男人，肯在大西洋另一頭曾見過兩次的男人，大步越過那名修女，朝他們走來，用冰冷憤怒的語氣開口了。「是我的決定，」他厲聲說道。「妳把她帶出這裡，她就會割開自己的手腕。或者把自己吊死。或者自己走進海裡，而且這次她會成功。」

「你對我撒謊二十年。」蔻若蘭罵道。

圖克州長就在十步之外，而且這距離縮短得很快。「我讓妳不必知道一個真相，這種真相會導致妳想像不到的更多痛苦。」那名資深修女看起來在每一方面都像他一樣憤怒，肯定是她從附近的某處把他召喚過來。「不像妳，我一直必須跟這種真相共存。」他怒視著肯，眼中有一千把匕首。「我兒子把你帶到我家來，現在則讓我發現你挖掘我的家務事。在我讓人逮捕你以前，給我滾出這裡。」

肯正要跟他說他該去哪裡的時候，蔻若蘭替他代勞了。「他是跟著我來的，父親。而且你在這裡的司法管轄權不會比一個農場工人多。」

「拜託，」茱莉亞姐妹試著介入他們之間，她懇求道：「請冷靜下來。這樣會讓妳母親還有我們的病人很難受。」

「妳夠了！」院長怒吼道。

州長陰沉地瞥了一眼他女兒跟肯，大步走進了他太太的房間，砰一聲關上門。佛羅倫斯的悄聲細語立刻停止。

「哈囉，我親愛的，」他們聽到州長說話了。「我恐怕有些非常壞的消息要說。」而他告訴她某件事，聲音太小他們聽不見，然後一陣沉默，接著是一個女人尖叫的聲音。蔻若蘭開了門，但她父親填滿了門框，把她推開，又把門轟然關上。

他們等待的時候，走廊上的空氣沉悶，在他們的作為後果中悶燒著。較年輕的修女退開幾步，悄悄地讓自己跟他們保持距離。肯不怪她。她盡己所能要做正確的事，而現在這會反噬她。院長怒視著他們，一個接著一個。

「我想喝一杯。」蔻若蘭說。

「我們都想。」

在接下來幾分鐘裡，他們聽到模糊的聲音，偶爾會分辨出零星字眼：「奧立佛」、「葬禮」。然後是更多沉默。

到最後，州長現身了，他的臉暗沉如炭。「跟我來。」他命令他們。

蔻若蘭忽視他的指示，從他身邊經過，走進她母親的房間。佛羅倫斯坐在床上，盯著剪下來的十字架上的耶穌圖像，他前額上有木製的血珠。她似乎根本沒有領悟到她女兒就在那裡。生命力從她身上退潮，就好像奧立佛死去的消息把她剩下的那一點點都抽乾了。

蔻若蘭也在床上坐下，用雙臂環抱著她母親的肩膀。肯知道，她從六歲以後就沒這樣做過了。對她來說這樣一定像是擁抱一個陌生人。然而她這麼做了，臉頰貼著她母親的。

「你想知道為什麼我說服她來到這裡。」圖克州長一邊說，一邊拉直他的領帶。他們走在修道院的院子裡。忍冬的香味濃烈地懸浮在空氣中。他的憤怒已經消退成疲憊。

「父親，你得把它講成一個動人得要死的故事。」蔻若蘭警告道。

「喔，我不需要美化任何事情，小女孩。」他坐在一棵被砍倒的樹上，伸展他的脖子。「妳總是自以為聰明。唔，我們等著瞧。我們等著瞧。」他暫停了一會，就好像記起一段他在記憶中長期壓抑的時期。「亞歷山大被誘拐的時候，妳母親告訴警方說有兩個吉普賽男人在沙鐘屋的花園裡帶走他，然後逃到內陸去。」

「我知道，」她回應：「這我全知道。」

「妳這麼以為。」

「你到底想說什麼？」

他忽略她的問題。「但妳有沒有想過？怎麼，他們就這樣走到房子前，我們或者僕役們沒有一個人看到他們，就這樣大搖大擺再溜出去，同時妳母親還大喊大叫說殺人了？」這個念頭使蔻若蘭的臉變得陰沉了一點，這種改變似乎暗示著她理解他大致的意思了。「喔，對，我看到了。妳開始思考了。妳現在沒那麼聰明了吧？告訴我：他們為何要這麼做？」他兩手一攤。「他們說是為了找刺激而殺人。唔，他們總是在談那些人，就算在那時候也是。為了找刺激而殺人。」他憤怒地搖頭。「徹底的鬼話。是有古怪的神經病，當然有，不過他們大多數是拿起短斧對付自己的母親，他們不會計劃綁架有錢人的小兒子。而且他們不會成對作案，不會一路跑到雷島來幹這種事。」疲憊感完全籠罩著他。「不，我不相信那些搞不清楚狀況的警察，還有一群只想賣出更多份廢話的垃圾新聞記者夢到的即時小解釋。在某方面來說，這很可惜，因為如果是某個我們永遠不必再想到的瘋狂陌生人幹的，對每個人來說都會比較輕鬆。」他斟酌著自己的用詞。「當然，我曾經這麼希望。希望其中一個吉普賽人會喝醉，然後自白，或者因為某件別的犯罪被抓起來，這樣我就可以親自綁好絞索。但我不認為那種事會發生。不會。」他在熱氣中脫掉他的夾克，把它整齊地摺好放在他旁邊的樹幹上，坐在那裡瞪著它。

「我本來假定那是為了錢而綁架。」蔻若蘭提出這個看法。

「那勒贖要求在哪裡？」他的惱怒炸了開來，像是他已經悶了二十五年。「我們等這種要求等了好幾星期。如果你為了錢帶走某人，你就會要錢。就算有事情出了差錯，亞歷山大已經死了，他們還是會送出要求，一件他的衣物，而我們就會付錢，希望能帶他回來。但什麼都沒有。所以動機有可能是什麼呢？」

蔻若蘭有一陣子什麼都沒說。然後她把手指交叉在一起，開口說話了。「你認為媽媽與此有關。」她說道，她的聲音洩露出一種先前不存在的恐懼。

「老實說，我不知道。」他嘆氣了。肯不得不為這個男人感到遺憾，雖然他直到那時為止都一直頤指氣使。「她已經……有好一段時間不太穩定了。然後那件事發生，警方卻無法找到任何線索。」

「到底是什麼讓你以為你可以像這樣藏著她，卻沒人發現？」

他抬起目光，想了一會才回答。「你祖父教過我，一個男人要做他知道正確的事。即使其他人全都告訴他，那是錯的。我是這樣立身處世。一輩子都是。」

肯注視著州長，兩個兒子都從他身邊被帶走的男人。有誰能從那種創傷裡回來，卻不帶傷疤？這樣的人不多。

「她說亞歷斯拜訪過她。」蔻若蘭說。

「老天爺啊，」圖克嘟噥道。「她相信的那些事情啊。她以前狀況比較好——在某些方面。」

「你是什麼意思？」

他從他上衣頂端的口袋拿出一條手帕，輕擦他的脖子。「當她有在吃藥的時候。她會……思考遲鈍些。不過想法不會天馬行空。她狀況變糟了。醫師們告訴我那並不算不尋常。」

他們坐了一會，聆聽花園裡的鳥囀，凝視著病房區，那裡有些裝上柵欄收容女人的小房間。

「她想回家，父親。現在是時候了。這樣可能有幫助。醜聞已經結束。如果她有二十四小時監護，她會很安全。她甚至可能回到我們身邊。」

「她不會的。」

「她可能可以。」

他猶豫了。「我怎麼可能把她弄回家？」

「你還沒違反任何法律，無論如何在家鄉沒有。而且你可以做得很低調。」

「她甚至連護照都沒有。」

「那就去大使館弄一份。所有官員都會知道那是個美國女人，加州州長的妻子，需要一份新護照。他們不會做任何檢查，而就算他們這麼做了，他們也不會大肆聲張。你是個很有權力的男人。你可以在四十八小時內登上一班飛機。就這麼做吧，父親。」

「然後呢？」

「然後呢？一間私人療養院。在某個安靜的地方。」

「沒一個地方有那麼低調謹慎。」

「某處一定有。而且我們可以見招拆招。如果你不這麼做，我就自己動手。那樣會引起更大的動靜。」

圖克再度輕擦他的脖子。「好吧。好吧。我猜是時候了。」

「我想妳父親是關心妳母親的。也關心奧立佛。」肯說道。他們在史全德街上的薩伏依旅館大廳裡。州長已經住進這裡的一間套房，當他還在修道院安排他太太的出院事宜時，叫他們在那裡訂房。一切就緒以後，他們就可以回莫西島拿他們的行李。他們進入時，一名穿著綠天鵝絨衣服，戴著閃亮戰爭徽章的看門人用手指碰了一下他的大禮帽，肯終於嘗到了他想接觸的老派倫敦，雖然他已經沒心情享受它了。

「你知道他以前習慣怎麼說嗎？」蔻若蘭回答：「『一個強健的家族是建立在世世代代之

上。』他告訴奧立佛，他會是追隨父親腳步的那個人，而且會完成我們的祖父開始的事情——我們的家族上升到最頂層。那就是為什麼父親給奧立佛他自己的名字。」

櫃檯接待員正在填他們的住房表單。「這不算是不尋常，」肯回答：「許多男人都希望兒子像他們一樣。」

「父親想做總統。如果他當不上，他就想要奧立佛當。現在他有什麼？圖克家會隨著他一起死絕。」

肯實際上對州長感到一絲同情，一個把家族名聲放在其他所有一切之上的男人。然而他對於這個男人的妻子更為同情，她的心智被她的損失給破壞了。「去探望她的是奧立佛，」他說。「她以為他是亞歷山大。」

「我知道。」

而這告訴他們某件事。「蔻若蘭，」他說著，轉身好讓他能夠看著她的眼睛。「我不認為妳哥哥發現妳母親還活著，然後就死了是一種巧合。」

她舔著自己的嘴唇。「確實不是。」

有一段很長的暫停。一位客人正在抱怨倫敦上空飛機的聲音。門房正在解釋開戰的可能性。這被當成解釋噪音的假藉口給打發掉了。「妳有沒有想過妳祖父跟雷島那棟房子的事？」肯說道。

「他們怎麼樣？」

他用手順了一下他頭皮上的頭髮。「有某件事一直在我腦袋裡甩不掉。」

「你的意思是什麼？」

「這是一種感覺，發生的每件事——妳、妳哥哥還有我們身上發生的事——是一組骨牌。第一個骨牌在一八八一年倒下；下一塊在一九一五年倒下；再來是一九二〇年。現在我們在處理它們的最後一塊。」

「你有發現這聽起來很瘋狂吧。」

「當然是。但我也認為這是真的。」

接待員安排好，把他們的袋子送到樓上屬於他們的房間裡，而他們走到美國酒吧去喝馬丁尼。酒保沿著鍍鋅吧台把酒滑過去給他們。

「我會坦白告訴妳，」在他們雙方都在沉默中乾掉三杯以後，肯說道：「我大半輩子都夢想著要來倫敦。」

「那你現在怎麼想？」

「唔，這不是我以為的那樣子。」他注視著一隊士兵匆匆經過窗前。不列顛比他先前想像過的更狂亂。在反抗與恐懼未來的混合之中，這裡忙得嗡嗡作響。這個國家二十年前經歷過一場糟糕的戰爭，而它並不期待另一場。

「你本來認為它會是什麼樣？」

他盯著軍隊，還有像過度亢奮的鵝那樣亂按喇叭的車流。「比較安靜。」

他們喝著酒。過了幾小時，在電燈開始打開以後，有人來通知他們，圖克州長已經回來了，需要見他們。他們喝乾他們的酒杯，走向電梯。肯可以看出酒精與悶著頭沉思的時間，已經強化了蔻若蘭在修道院裡壓抑下來的怒火。她眼中堅定如燧石的神情，在他們逐層升高時變成了堅硬的岩石。

一名旅館聽差帶著他們到皇冠套房，這裡曾經為一位國王裝潢過，而他的品味比大多數國王實際上有的要來得好。州長在講電話。他講得大聲又緩慢，而肯猜想那通電話是透過座落在大西洋海床上的電纜傳遞的。

「……你當然可以。隨你的意思。」一陣暫停。「喔，不足掛齒。只是我的祕書接到他在《環球報》的老朋友打來一通電話，問他是否對佛羅里達的一起車禍知道任何事。」他短暫地停頓，然後他的語調變了，變得更機密。「我不喜歡那種政治，山姆。但如果你要起而反抗我……」他再度暫停，這次等著一個回應，肯聽到一個輕微的吱嘎聲從聽筒裡傳出來，他無法分辨那些字句。「不，不，你當然不是。唔，那是很好的消息。而我會指示我的祕書向他朋友保證，那女孩在撒謊——她只有一兩個瘀青，僅此而已，一切都太誇大了，不值得記者花時間。對，我同意。是在十一月。跟你聊聊真是愉快，山姆，一直以來都是。代替我向碧雅翠絲問好。」他掛斷電話，站了起來，沉思了一會，又在一張飛翼皮革扶手椅裡坐下，等著蔻若蘭開口。很清楚的是，他們三個人先前坐在修道院花園裡，圖克似乎心懷歉意，對於自己所做的事幾乎感到羞愧的時候，跟現在的氣氛是不一樣的。

蔻若蘭過了一會才開口。問題很沉重。「父親，你怎麼能夠讓自己去做這件事？」

他替他們三個人倒了波本酒。

「我有我的家人要著想。」他告訴那只酒瓶。

「她就是你的家人。」

「不是全部。我有祖先，而我期待有一天也有後代。我對他們也有責任。」

「責任？」波本酒還沒人喝。

「是，我的女孩。責任。妳吐出那個字眼的時候好像把它看得很骯髒。不是那樣的。」

「你是要再一次告訴我關於當總統的那一套嗎？」

他似乎很惱怒，但維持了聲音冷靜。「對，那會是對我們國家的責任。」

蔻若蘭緩慢地套上一副藍色的羔羊皮手套。肯可以看得出來，這樣做讓她有時間思考。

「讓我們只談母親，還有帶她回家的安排吧。」

半小時後，肯倒向他柔軟的床，在腦袋裡重新跑一遍他知道與不知道的一切。第二張清單上的東西比較多。奧立佛是被殺死的，他很確定這點。他的死亡最有可能跟他母親被監禁在療養院裡有關，她在那裡培養出一種宗教傾向，執迷於她自己的罪過；但為什麼那會迫使某人殺死奧立佛？要是……

他的眼睛捕捉到某樣東西。

被他閂起的門，門把正在往下移動，而且外面的地板上有一種吱嘎響聲。他注視著門把旋轉。可能是那個在佩登玫瑰問起他們的不明人物。或者有可能是她。在飛機上他們幾乎親吻的那一次，在他腦袋裡像交響樂似地反覆播放。

把手改變了方向，再度提起，回到它正常的位置。他等待著。有個輕微的聲響，呼吸聲。還有腳在地板上非常輕微的踩踏聲。

然後他聽到那個不明人士在嘗試隔壁房間的門把：蔻若蘭的。

他跳起身，光著腳、沒穿上衣，拔起門閂猛然開了門。沒看到任何人，但這不是他想像出來的。他敲著她的門。什麼都沒有。沒有顫動的聲音。他往樓梯底下看，又試了一次，這次力道更重。

「蔻若蘭。」他說道。

這時他聽到動作，衣服被套上或脫下的聲音。連著一個黃銅鏈子的門對著他打開。她的眼睛出現在上方。他知道它們是淡藍色的，但在那種光線下，它們比炭還黑。

他正要解釋有人試圖進他的房間——也想進她房間——還有這可能沒什麼，或者有什麼，但他沒開口，他只是等著她說話。

她沒有。她拿掉了門閂鏈子，讓它落下。

第十六章

他們在倫敦停留了兩天，再回到莫西島去領他們的袋子，之後越過大西洋往回飛，回到沙加緬度，在那裡搭一輛晚班火車回到洛杉磯。孤寂小城鎮的燈光閃動著經過百葉窗，創造出一種用形狀與陰影構成的翻頁書。這些城鎮變得比較不常見，距離更偏遠，到最後完全消失，由美國西部的荒野接手。外面這裡的房舍或農場極少。加州是個以城市構成的州。電影業在那裡是為了日光；演員在那裡是為了名聲；西緬．圖克在半個世紀前抵達那裡，是為了樂觀主義。每個人都在加州尋找未來。

在他們離開莫西島之後六天，在夕陽西下的時候，他們的車停進中央車站。「我們該現在跟卡門談嗎？」蔻若蘭問道。

他們知道她為什麼在死因審理法庭上撒謊，說看到佛羅倫斯溺斃，但肯想知道她在肯第一次見到蔻若蘭的那一天，對奧立佛說了什麼。無論那是什麼，都讓他們兩個人傷心。

他注視著他的腕錶。「現在很晚了。我們明天談。」

他們彼此道別，他搭了一輛路面電車回到他的住宿處。這是好幾週以來，他第一次設法在自己的床上待了一晚。

他酣睡如死，而在他醒來的時候，他甚至不需要咖啡來讓他加速趕往圖克家。

蔻若蘭在圖書室裡等他，那裡跟先前一樣，有著過度悲傷的氣氛，就好像它在期待壞消息似的。卡門被叫了過來，進房時看起來很不自在。家族祕密浮上檯面的消息，一定傳到僕人們這裡了。

「我母親還活著，」蔻若蘭在冗長的寂靜之後說道。卡門咬著嘴唇，瞪著自己的雙手。「妳知道那件事嗎？」淚水在這個老女人眼裡積聚，她迅速地點頭。「妳一直都知道。」

「圖克州長只告訴我，其他人都不知道，」她悄聲說道。「有時候我必須寄東西給她。衣服或者小紀念品。」她淚眼汪汪地抬頭。「我只是想照顧她，小姐。我一直照顧你們每個人。」

蔻若蘭走向往外通往花園的窗戶，留下女僕盯著她的背。

肯接過對話。「奧立佛發現了，不是嗎？」她再度點頭。「他這樣跟妳說。」

「是，先生。」

「他有說任何別的事情嗎？」

「他要求看家裡的老照片。全部家人的。」她別有用意地說道。她不想指名亞歷山大，失蹤的那個孩子。他的名字在這棟房子裡是黑魔法，這件事正變得越來越清楚。

「就這樣嗎？」

「是的，先生。只有這樣，還有問起他自己小時候的樣子。我記得他的什麼事。他是不是個快樂的男孩；他坐輪椅是否不快樂。」

「而妳怎麼說？」

「我到這一家來工作是在亞歷斯……」她緊張地瞥了一眼蔻若蘭的背。「……失蹤以後。所以我不知道他更小的時候是什麼樣。但沒有一個男孩坐輪椅會快樂的。」

謀。

他們請她退下。肯為這個女人感到遺憾，她被迫加入一個她既不理解、又得不到好處的陰謀。

他用手指打鼓似地敲著一個書架。「妳母親說了關於某個醫生的事。『他在背後主使一切。他跟我丈夫合謀。』那是她說過的話。」他開始思索。追隨西緬在《沙鐘》裡的足跡，把他引向佛羅倫斯。奧立佛留下了穿過森林的麵包屑。西緬還去了什麼別的地方？「一個……」他講到一半時停下來，因為他想起某件事了：「有張破嘴的醫生，」他繼續說下去，比較像是對自己說，而不是對蔻若蘭。「讓我看妳手上那本奧立佛的書。」她去了她房間，帶著那本小說回來。肯尋找某一個段落：西緬在煙霧混濁的萊姆豪斯碼頭上。

西緬的視線落到躺在床鋪上的一個男人身上。跟其他人不同，這個男人沒在抽他的鴉片，而是啜飲著一個綠色瓶子裡的東西。他有兔唇，導致液體從他的下巴滴落。

「就是這裡！」肯喊了出來。他讀出那些句子。

「你想嘗試一點嗎，先生？」那男人問道。他咧嘴笑了，露出一個沒牙的深淵。然而他說話的聲音很有教養，聽起來是個上過大學的男人。「在這個體制下過著低階生活的人喜歡追逐

> 龍。我，我寧願用白蘭地來淹沒它。」
> 「這樣我懂了，」西緬回答。「但你必須理解，鴉片酊一樣會讓人上癮。」
> 「喔，喔，你不必告訴我，先生。我是有完整資格的皇家外科學會會員。」

「妳沒想起某個符合這段敘述的人嗎？」肯問道。

「我應該想到嗎？」

「一位兔唇的醫師。」她的臉仍舊一片茫然。「就在妳哥哥被殺之前，妳父親帶到這裡來威嚇勃洛斯參議員的那個醫師。他有兔唇。這太不可能只是巧合。奧立佛把他包括在故事裡，因為他在發生過的事情裡扮演了一個角色——而妳母親說，發生在她身上的事情，是一個有張破嘴的醫師在背後主使；也說了跟注射有關的事。」

她點頭同意。「我父親帶來這裡的那個醫師，他的名字叫做克魯格。」

「唔，我們可以看看是否能夠追蹤到他。而我剛剛領悟到一件別的事情。」

「什麼事？」

「這一切都是從那本書裡來的。但作者們會為他們的書寫許多初稿。」

「所以……」

「所以要是奧立佛寫了一份更早的版本呢？」他很興奮，熱衷於這個想法。「一份被他截短了的草稿，以便配合正確的頁數或諸如此類的事。可能會有更多能幫助我們的細節。」

「有可能。」

「是啊。不過首先，我們會先試著找出克魯格醫生。」一通給州醫療委員會的電話，就確認了確實有個叫這名字的男人握有行醫執照，而且他們當然可以提供他的外科診所地址與電話。肯興高采烈地拍著牆壁。

「克魯格醫師外科診所。」透過電話線嘶嘶作響的是個令人愉快又穩重的南方口音。

「我想預約。」肯通知她。

「當然可以，先生。我可以留下您的姓名嗎？」

他給了個假名。「他多快可以見我？」

「我可以提供您明天下午兩點的預約。這樣可以嗎？」

「我希望能更早見到他。」

「我很抱歉，但在那之前他都很忙。」

「我明白了。好，請幫我登記。」他給她一個假地址，她做了預約，他則結束通話。

「你想這樣會有任何成果嗎？」蔻若蘭問道。

「也許有，也許沒有。現在我想看看我們是否能找到那本書的任何其他版本。」

根據蔻若蘭那一本的標題頁，他們必須聯絡的是達格斯出版社；而他們的辦公室在洛杉磯，所以肯跟蔻若蘭開車過去。那是一間很年輕的公司，從辦公室的大小來判斷，對於自己的野心並不害臊。他們先跟接待員談過，然後是跟接待員主管談，在這時他們解釋了來意，最後他們總算獲准進入一間會議室，裡面有閃亮的銀色皮革扶手椅圍繞著一張長桌，還有一個個擺滿書的書架。在桌子的另一邊有個男人，面前有一堆他正拿著紅筆在批改的紙張；這個眼鏡上有種諷刺性閃光的男人，聆聽著他們的訴求。他們得知這是奧立佛的編輯，席德．柯恩。

「庫里安先生，圖克小姐，我現在陷入了某種困境，」柯恩說著往後坐，手指指尖併成金字塔狀。「你們明白嗎，信不信由你們，你們不是第一批來到這裡講了幾乎同一件事的人。」

「什麼？」肯這麼回應。這很讓人驚訝，而且不是好的那種。

「事實上，我必須說，你甚至不是過去七十二小時裡第一批講了幾乎同一件事的人。」

蔻若蘭眼神裡帶著刀。

「你的意思是什麼，先生？」肯問道。

「我的意思是，三天前有個傢伙來到這裡說他代表圖克家族，有禮但堅定地要求我交出奧立佛最新這本書的任何舊草稿。」

「我的家族沒有授權給任何這樣的人，」蔻若蘭激烈地主張。「他是誰？」

柯恩反覆思索，敲著他的筆。「小姐，我的問題是，如果有某種詭詐託辭牽涉在其中，我要相信誰？在那個男人來以前，我收到一封信宣布他的來訪，是用一家知名法律事務所的信紙寫的。現在呢，這有可能是假造的——說真的相當容易，我沒有存著戒心，所以我沒有去查核，看看他們是不是真的派了他來——但這也可能是真的。因此這是我的困境：他是真貨，還是你們？」

「想看我的駕照嗎？」她回嘴。肯看得出來，在修道院事件以後，她對這種事情厭倦得要死：必須向一些跟他們家幾乎無關的人證明她的身分。

「對，我想那樣應該就夠了。」

蔻若蘭打開了她手拿包上的扣子，抽出她的錢包。她拿出她的駕照跟一張照片，把它們推到桌子另一端。柯恩拿起駕照，再來是照片，凝視著它們，很尊重地交還。肯瞥見一張快照，裡面是蔻若蘭跟她哥哥，在某場派對裡手挽著手，被閃光燈照亮。「我相信妳。但我認為這不會對妳有太大幫助。我相信了另一個傢伙，而且把奧立佛先前寄來的前面幾份草稿給他了。」

「這個男人看起來什麼樣？」肯問道。

柯恩聳聳肩。「那是好幾天以前了，所以我的記憶不那麼清楚。不過他看起來，唔……很普通。」

「普通？」

「對。不過那正是突出的地方。他普通到超現實的地步。」

「這些草稿有更多副本嗎？」肯問道。他知道他們在談的那個男人。

「抱歉。」

「你記得那些草稿裡的任何東西嗎？任何重大改變？」

「我老實跟你說。我同時為十本書工作。我幾乎不記得它們的標題，更不要說是文字上的改變了。所以我很抱歉，我在這方面幫不了你。」他若有所思地吸著筆，像抽菸似的。「你們想要知道什麼？」

「現在不重要了。感謝你花的時間。」

他們回到車上。「撞牆了。」在肯扭開車門的時候，他憤怒地嘟噥。

「似乎是這樣。」

「該死。對，去他的等到明天。我氣炸了。我們現在就過去克魯格的外科診所。」

「你說去就去。」

到克魯格醫生在奧林匹克外某條富裕街道上的診療室，車程是十五分鐘，很難想像那裡有任何人需要任何醫療照護，除非那是飲食太營養造成的後果。他們把車停在外面。

「你要跟她說什麼？」蔻若蘭問道。她沒有費事隱藏她的疑慮。

「我會問他是否治療過你們家族的任何成員。」

「他可能會叫你滾。」

「如果他這麼做，我們也沒任何損失。」

在他們說話時，一個看起來很和藹的男人戴著眼鏡，拿著一只黑色醫生包從辦公室裡冒出來。肯認出了他，開始朝他走去，但那男人對著一輛計程車舉起手，那輛車停了下來。他跳進車裡，計程車就開走了。

「上車。」蔻若蘭說道。

他們跟著計程車穿過稀疏的車流，保持一段距離。在這個時段，這樣做不難。他們停下來的時候在一間辦公大樓外面，它落成的時間極近，可能還沒有任何害蟲問題。一塊用螺絲栓在牆上的黃銅牌子，宣稱這裡有間醫療協會：「美國優生學學會」。肯知道有個全國性組織鼓吹把生理或心理有疾病的「缺陷者」從人口中移除。他想起了佛羅倫斯，她如何被關起來。

克魯格正匆促地走上樓梯。肯跳出來喊他。「克魯格醫生！」克魯格停下來，轉身張望。在他靠近的時候，肯看到奧立佛注意過的兔唇。「我不知道你是否記得，不過我們先前非常短暫地見過面。」

「有嗎？」

「是在圖克州長家。」

克魯格的眉毛微微感興趣地揚起，對於這樣在街頭被人接近有點驚訝。「喔？」

「他要求我跟你談某件事。」那對眉毛再度落下，他的表情在懷疑中變得很有限。「圖克州長派你來跟我說話？」

「是的。」

「為什麼？」他厲聲拋出這個問題；親切的光芒黯淡到不存在了。

「關於你如何治療圖克太太。」醫生打量著他，沒有說話。「我自己的太太承受著同樣的苦楚。」

「是嗎？」這話很警戒，沒有洩露任何事。

「我可能必須把她送進一間機構。」

「那就這麼做。」克魯格這麼說的時候，他的聲調裡有種決定性。「我不是你需要的內科醫師。你為何不回到圖克州長那裡——如果真的是他派你來的——再問他一遍。」這麼說完，他踏著沉重的大步走進建築物入口。一個身形龐大的安全警衛靠在門柱上，似乎勾起了強烈的興趣。他身上有種氛圍，像是想用自己的拳頭幹點毀滅性的事情。

「克魯格醫生。」

「我沒別的話好說。」

「醫生，等一下！」

肯跟著他。不過那個警衛踏上前來，用他多肉的手掌壓在肯的胸口。「後退，伙計。」他警告道。肯把那隻手甩到一邊，擠了過去。

「克魯——」這名字被勒住了，被一隻從背後環住他喉嚨的紮實手臂，逼回肯的氣管裡。他的雙手自動去抓那隻手臂，但它握得緊緊地，讓他感覺到他整個人被扳倒了。他看到克魯格驚訝地掉了他的醫生包。

肯可以感覺到那隻充滿肌肉的手臂很強壯，但他沒有逞英雄的心情。戳進那男人內臟的尖銳肘擊打破了箝制。他猛轉身，一拳送進警衛的胸骨，讓他胸口沒氣。接著是一路到底的希臘羅馬式摔角，肯的衝勁強得要命。

「你們兩個住手！」這是習慣吼出命令的聲音，而一秒之內一位警官就來到他們中間。「這裡見鬼的出了什麼事？」

克魯格從建築物門口回來了。「這個男人在騷擾我。」他說，把棍子似的手指指向肯。

「這樣嗎？怎麼騷擾？」

「問我問題。」

「你認識他？」

「完全不認識。別讓他靠近我。」

肯看得出，他不會從這位醫生那裡得到任何答案了，不過他至少可以給他惹點麻煩。「我只想知道你對佛羅倫斯．圖克做了什麼。」他摩挲著她的喉嚨。他開始厭倦為了別人弄得一身傷。「那是圖克州長的太太。」為了讓警員聽懂，他補充道。如果你想要警察注意你，扯上一點政治關聯總是很值得。

「我從來沒治療過她。」克魯格宣稱。

「喔真的啊？」他把這句話當成釣魚線似地拉長。「那麼為什麼你剛剛告訴我說你治過？」

「我沒說過這種話。」克魯格看起來焦躁不安。這不是他今天早上預期會發生的事。

「你當然沒有囉。」

「我受夠這個了。警官，那個男人騷擾我。拜託讓他遠離我。」

「你要我逮捕他？」

「是啊，我們來把這件事鬧大吧。」肯說著，把他的手腕伸出來等上銬。

克魯格張開了嘴，但他猶豫了，考慮他是否真想把這件事情鬧大。

警察動著他那件制服上衣底下的肩胛骨。這比他本來想的更麻煩。他看到解套方案，就對肯說道：「這樣，我記下你的姓名跟地址，然後你得走開。」

肯告訴了他，隨後警官就護送著他大步走上街頭，一隻堅定的手按在他肩膀上，毫不含糊地讓他知道他最好快滾。在他們來到她這邊的時候，蔻若蘭揚起一邊用眉筆畫過的眉毛，看著這個護送過程。

「進行得很順利嘛。」她說道。

第十七章

回到他的公寓照料瘀傷的脖子時，肯發現他老闆的一則電話留言，問他到底會不會回來上班，還是說他們應該現在就開除他。他把字條揉掉並扔到一邊。不，他不會回去了。

他洗了個澡，同時聽收音機。有一齣廣播劇在講一個男人受夠了他社區裡的犯罪，因此他招募朋友加入一個義警委員會，結果只讓腐敗滲透，委員會變得比他們企圖遏止的罪犯更糟糕。接在後面的是一個新聞節目，報導歐洲有更多軍備擴張，還有給加州海岸線的天氣警報。有個熱帶風暴在海邊醞釀中，可能很快就會登陸。新聞播報員說，做好面對危機的準備，這一個可能很糟。

肯花了幾小時反覆思索他下一步應該怎麼走。佛羅倫斯在為一個只有她知道的道德罪過贖罪。但如果這跟亞歷山大．圖克誘拐案有關，他對於那個罪行的認識，最好超過先前從幾篇新聞報導裡搜集到的內容。

他到一個電話亭去，打電話到圖克家。

「哈囉？」輕柔的回答來了。

「是我。」他覺得自己下定決心了。

一個短暫停頓。「我想也是。」

「我想要過去。」

「七點來。」

背景出現了另一個聲音，一個男人問道：「去哪裡，圖克小姐？」

「遊艇俱樂部，」她遠離話筒回應道。家裡的轎車司機在執勤。「肯？」她回到對話裡，這麼問道。

「是。」

「你想一九一五年發生了什麼事？對亞歷斯來說。」

「看起來像是妳母親要負責，而克魯格參與了她事後的隱遁。我猜妳父親安排讓這件事發生在英格蘭，是因為那裡認識她的人比較少，沒有人會介入。妳想一想，就會覺得很合理。」

看起來像是。

我猜。

妳想一想。

這一帶唯一黑白分明的事情，就是圖克家大廳的地板。

「七點見。」她重複。她放下電話，她的聲音被線路上空洞的嗡嗡聲取代。

這些水域如此混濁，而要承認他對蔻若蘭的認識，幾乎不超過他對她其餘家人的認識，並不算誇張。她感覺到什麼，她在想什麼，都只是她想要他看到的。

那天晚上，隨著他的腕錶時針移動到數字七，分針喀噠一聲指向十二，他遣走一輛計程車，走近那四周都是玻璃的房子。燈關掉了，留下它隨著海上來的閃爍反射光線而發亮。對圖克家族來說，這棟房子是個錯誤。它是透明的，容許每個人往裡看，住在裡面的人卻要盡全力把他們的生活藏起來。

他拉了門鈴，鈴響了卻無人回應。她肯定是出門了又遲歸，不過這是個美好的夜晚，所以他繞到海灘那一側，坐在沙子上，等到蔻若蘭回來為止。

他沿著海岸線漫步，在歐洲的寒冷之後沐浴在加州的熱氣中，這時他凝視著矗立在海中的寫作塔，像是一場夏季舞會裡，最後一位初次進入社交界亮相的少女。有任何人去那裡替它上鎖，或者把奧立佛留在屋裡的所有藏書都清出來嗎？這會像是把一條人命剩下的腐肉清光。他往回瞥向房子。才幾個月前，一對對男女在那裡跳舞，有人吹著小號；現在那可能永遠不會再發生了。而如今，某件事很突兀：後門沒有完全關上。

他靠近了些。「蔻若蘭？」沒有人回答。他把門打開。在深紅銅色的光線下，玻璃變成一個染色鏡子構成的大廳，太陽的光輝在房間裡到處反射，製造出一片紅色碟片的森林。波光粼粼的藍色大海出現在每個紅碟之下，環繞著房間，以至於跟陸地切割開來，就像另一棟比較古老的房子一樣。有一刻，他覺得與奧立佛共情了，他的整個人生都被玻璃封閉圍困。

在他溜進屋的時候，波浪在他後方滾動。但在它們的聲音之上還有某種別的東西。音樂。小提琴——古典音樂——正在播放。韋瓦第，他心想。某人，在屋子裡的某處，正在聽一張唱片或者收音機。他再度喊了蔻若蘭的名字，沒有回應。

他繞過平台鋼琴，穿過房間，直入走廊。他停下來聆聽：小提琴聲現在更強了，從樓上傳來。白色大理石台階微微發光，在他爬上去的時候，小提琴音揚升到一個暴烈的漸強音。「蔻若蘭？」他再喊了一次。他心頭的疑慮越來越強，有某件事情出錯了。

他的鞋子踩在大理石上，如同小提琴音底下的一種鼓聲。要確定樂音從哪來是不可能的。

紅色的門通往過去屬於奧立佛的房間。它面對著落日，那光線很明亮，揀選出生命的碎屑：一張床；仍然掛在衣櫥裡的衣服；一副雙筒望遠鏡掛在窗邊的一個掛鉤上。沒有人在那裡。

下一個房間是綠門的圖書室，在那裡提醒任何訪客，這是個可敬的家族；但角落裡也備妥一具電話與電傳打字機，展示財富與現代性。

這樣就剩下一對客房跟蔻若蘭自己的房間了。在肯悄悄沿著走廊前進時，音樂變得更熱烈濃重。他來到她那扇藍色煙燻玻璃門的前方，也來到另一邊的弦樂源頭。他敲門。沒有回應。「蔻若蘭。」還是什麼都沒有。但接著是一個新的聲響：一種遙遠的吱嘎聲。他抓住門把，稍微把門打開一點點。一道刀鋒似的光線透過那條縫隙刺向他。「妳在那裡嗎？」吱嘎聲再度響起。他推開門，大海填滿了他的視野：一排窗戶眺望出去跨越海洋，它們前方有張白色的皮革沙發。小提琴高揚在波浪與呻吟的木頭之上；不過有某樣東西正在打破海的廣闊無邊，某種從天花板上垂下的東西，在來自一扇敞開窗戶的微風中扭動：一隻光腳，一個穿著棉布連身裙的修長身形，而在肩膀上方是一個往前垂下的頭。

「蔻若蘭！」他衝進去，撞倒一張邊桌，以致一整組香水瓶收藏都破了，在地板上灑出一個個小小的金色液體池塘。

這女人的身形，從連接到一個燈具固定架上的吊索上垂下。她背對著他，她的頭從斷裂的脖子上往前低下。他抓住了她的雙腿，急切地希望生命可能還在那裡。在她下方，一隻柔軟的皮鞋停歇在地板上。但在肯用雙手抓住她的小腿時，朝著上方的臉孔看了一眼，這告訴他兩個苦澀的真相。

第一個是，一度在這具軀體內明亮燃燒的生命已經被捻熄，無論說上多少祈禱詞、無論照料的醫師們技巧多高明，都永遠不可能復返。它就像前一天的光一樣消逝了。

第二個自動逼迫他接受的真相，讓他胸口的呼吸停止的真相，是他抱著的這個女人，在微風中轉動的女人，並不是無可理解的蔻若蘭．圖克。不。他抱起的這個可憐女人是她母親，佛羅倫斯。悲劇性的、受到虐待的、悔恨的佛羅倫斯。她用一條白色工業用繩索上吊。這本來是要用在粗糙的木頭或船隻上的。

他放手讓她去。咬進她大腿皮肉裡的金屬吊襪帶，為了古老的罪咎付出補贖，隨著動作而鏗然作響。它對她毫無好處。神沒有站在她這邊，從沒有站在生活在這棟房子的家族這邊。這棟房子已經兩度目擊死亡了。

然後一個念頭出現了：*讓這裡就只有兩次死亡吧*。

他奔過走廊，衝進兩個沒探索過的客房，然後是州長的臥房，只瞥了一眼做檢查，便再下樓到廚房去。可是蔻若蘭不在那裡。沒有人在。當他回到臥室跟上吊女人身邊的時候，圖克家玻璃屋裡依舊只有他們兩個。他到角落的收音機那裡把它關上。小提琴聲消逝了，只留下繩索的吱嘎聲。

除了通報警方，說又有另一起死亡事件發生在沙鐘屋以外，沒別的事好做了。他會讓他們把她解下來——這樣似乎更有敬意，雖然他說不上來為什麼。他走向走廊的電話，同時專注地想要怎麼措辭：*我去我朋友家。這裡有個女人。她自己上吊了。*

他停頓了。她是自己上吊的嗎？他不可能確知這件事。在圖克家人身邊，你知道的越多，就變得越不確定。

不過，沒有別人到過這裡的跡象。要是補上這個論點：亞歷山大的失蹤，肯定看來像是她的雙手與良心要負責，你確實會達成某個結論。罪咎，罪惡感，這幾十年來它們消耗她到這種程度，甚至讓她看到死去的兒子來拜訪她。誰不會想要制止這種事情？

他舉起走廊電話的話筒。「接線生。」一個尖細的聲音宣布。

「我要報警。」

「不要掛斷。」

他聆聽著一連串的喀噠聲。要花多長時間才……

他僵住了。外面有腳步聲，然後是鎖孔裡的鑰匙。蔻若蘭走進來了。她正要說話的時候，他制止了她。

「蔻若蘭，」他開口時口氣急切，但他接著軟化下來。「我有事情要告訴妳。」

她用難以揣度的表情凝視著他，有某種東西被控制住了。她總是克制了這麼多。「你怎麼進來的？」她問道。

他隨便打發了這個問題。「後門是開的。可是聽著……」

「我關了後門。」

「我進來了，而且我在這裡發現了某樣東西。」她等著。「我發現妳母親。」

「媽媽？她在這裡？」蔻若蘭開始往屋子裡走。「父親幾天前才把她帶來這裡。他說他會把她留置在某個安全的地方。」

他擋住她的路。「蔻若蘭，我很遺憾。」

「遺憾什麼？」

「我發現她死了。」

蔻若蘭退了一步，盯著他的臉，嘗試在那裡找到某樣東西。「你在說什麼？」她質疑道。

罪惡感，他對自己想著。我在談罪惡感。

他把雙手放在她肩膀上，就好像要穩住她。這是第二次，他告訴她，某個她親近的人死了。這是第二次，他就是發現屍體的那個人。

「她吊死了自己。」

有一陣子一片寂靜。然後出現兩個字，比較像是冷冷的氣息，而不是聲音。

「在哪？」

「妳的臥房。」

「她還在那裡嗎？」

「是。我幾分鐘前才剛到這裡。」他把手放在她手臂上，一次表達同情的嘗試，沒帶來什麼反應，就好像她也是用玻璃做成的。

她把她的手提包放在門邊一張桃花心木桌子上，然後，她沒看著他，就好像完全忘了他的存在，往上走向臥房。他看到她停在房間外面，往裡面看。她等了一會，面向他知道屍體會在繩索上轉動的地方，接著跨過門檻，離開他的視線。他給她一陣子跟她母親獨處的時間，才去找她。

這是個醜惡的景象。

「我們需要把她解下來。」她平板地說道。

「是。」

他可以看到佛羅倫斯衣服上的摺紋，她的頭髮一團亂。而隨著繩索旋轉，她的臉緩緩地轉向他。那張臉曾經一度惹人喜愛；現在它被時間催老，又因為死亡而浮腫。他把手伸向她連身裙的棉布，抱住它以便保持身體不動。

「怎麼？」蔻若蘭問道。那聲音充滿了整個房間。

「她還是暖的。」他這麼說充當回答。

「所以那表示……」

「今天是溫暖的日子。我不知道這種事是怎麼運作的，這樣可能會有很大的差別。不過沒錯。」他知道她的意思，而他迎向了她的目光。「我認為她死去沒有很久。」

蔻若蘭坐在她房間角落的沙發上，她的手肘撐著她的膝蓋。

「所以如果我們幾分鐘前就回來，我們本來可以讓她活下來。」

「妳絕對不能那樣想。」

「我絕對不能？見鬼了，你憑什麼告訴我該怎麼想？」這是罕見的公開憤怒表現。「我要她的繩索被切斷放下來。」蔻若蘭說道。

「我知道。但我……」他被前門的門鈴聲打斷了。蔻若蘭猛然轉頭去瞪著大廳。「那是誰？」

「我不知道。」

門鈴再度響起。接著是一陣敲在木頭上的咚咚響聲，還有個粗啞的聲音。「警察。請開門。」

肯一打開門，他就認出那個男人。傑克斯，在奧立佛的屍體被發現時過來的警探。

「警探。」肯驚訝地說道。

「發生什麼事？」傑克斯說道，他直取重點。

「有個女人自殺了。」他甚至還沒報警，他不明白傑克斯為何會出現在這裡，但他會晚點再問這個問題。

「在這裡？」話裡只有一閃而逝的驚訝。當然了，這是個什麼都見識過的男人。

肯領著他上樓。「聖母瑪麗與約瑟夫。」傑克斯在看到繩索與掛在上面的人時暗自嘟囔。「她是誰？」

「我母親。」蔻若蘭回答。

「妳母親？」他回頭往上看屍體，現在靜止了，溫暖的微風已經消失。

「她本來在英格蘭的一間精神病院裡。我父親剛把她帶回家。」

這個警察身上似乎出現一點輕微的確認與理解。不，這不是他辦的第一件自殺案。「妳告訴她妳哥哥過世了，女士？」

「對。」

傑克斯哀傷地嘆息。「猜到了。很抱歉要這麼說，但我以前就看過這種事。沒有一位母親應該埋葬自己的孩子。是妳打電話的嗎？」

「打電話？」她回答。

「半小時前有人打電話給總機。說需要我趕快來這裡。不願意說為什麼。」所以，有人在肯進屋以前就打電話給警察。

「那是誰？」肯問道。

「不知道。」他看著蔻若蘭。「確定不是妳？」

「我告訴你了，不是。」

他抬頭瞪著他們上方的屍體。「你認為那是她？」

「她怎麼會知道你的名字？」肯這麼回答。

「很難講，但不是不可能。畢竟我是偵辦你朋友那個案子的警探。」繩索吱嘎作響。「咱們把她放下來吧。」

肯支撐著她的軀體，同時傑克斯解開繩索，把她放到地上。蔻若蘭全程待在沙發上，手肘撐著膝蓋。肯納悶地想，她周圍的冰霜之牆有多少是她真正的一部分，又有多少是她每天早上為了自我保護而披上的。

「我會通報，」傑克斯說道。在他離開房間時，他停了下來。「我很抱歉，女士。沒有一個家庭應該經歷這麼多。」他下樓去了，他們聽見他打電話回警局叫警方救護車來。

他們全都不發一語地等待，有時候眺望著大海。

在救護車抵達時，裡面的兩位警官恭敬地進入房間，檢視屍體，並組好一個擔架。

「必須有人告訴妳父親。」肯說道。

「我會打給他。我以前都做過了。」

「警探！」其中一個把佛羅倫斯放在擔架上，跪在她旁邊的警官，對著正在筆記本裡寫著什麼的傑克斯喊道。

「等一下，我正忙著。」

「你會想要看看這個。」肯走向屍體。「先生，請不要靠近。」

「怎麼了？」傑克斯問道。

「看看這個。」警官舉起死去女人的雙手手腕。

傑克斯跪坐著，然後拉高棉布袖口。他對他的警官弟兄點點頭，這個人把那雙手腕放回女人屍體側邊。

「庫里安先生，」他說道：「你發現奧立佛．圖克的屍體，對嗎？」

「你知道就是我。」他不喜歡這個警察問了他們兩個都知道答案的問題。

「而你說你到場的時候他已經死了。」

「所以呢？」

「唔，現在你也說圖克太太在你到這裡的時候也死了？」

「對。」他可以聽出有個龍捲風朝他襲來。

「有人讓你進去嗎？」

「沒有，我是從後門進來的，門是開的。」

「開的，哦？那正常嗎？」他望向蔻若蘭尋找答案，但沒有等答案出現。「而圖克太太吊死了自己。」

「她……」

龍捲風襲擊了。「那麼如果圖克太太吊死了自己，你想不想告訴我們，她的手腕上怎麼會有繩索擦傷的痕跡？」他讓這些話語懸在空氣中，並舉起佛羅倫斯的手臂，把布料往後撥，顯示出在她皮肉周圍的深刻紅色痕跡。在那些痕跡劃破皮膚的地方有血。他的語調沉下來。「你現在想告訴我們那條繩索在哪裡嗎？」

肯本來就知道佛羅倫斯可能不是自殺的，但他並沒有把這件事連結到他自己出現在屋裡、他像小偷一樣從後門進入，還有人匿名打電話給傑克斯。從中不會出現任何好事。「有人要你認為我殺了她。」他說道。

「那麼某人做了個好得該死的工作。有任何人知道你今晚要來這裡嗎？」肯絞盡腦汁，他的大腦騎在被指控犯下雙重謀殺的馬背上，正在全力衝刺。除了蔻若蘭自己，他沒有告訴任何人。「不。但他們可能跟蹤我。」

傑克斯站起來，靠近了半步。「跟蹤你？然後跑進屋子裡，殺了她，再跑出來，沒讓你看到？那動作還真快。」

當然，他是對的。但肯不假思索地立刻反應。「好，也許他們要對付的不是我。也許他們是企圖陷害蔻若蘭。」他們全都看著她。

「妳認識任何人會那樣做的嗎？」傑克斯詢問道。

她搖搖頭。

「聽著，警探，」肯堅持：「你不知道那些傷痕是在她死時造成的。它們可能已經在那裡了。或者誰知道啊，也許有人真的謀殺了她，可那不是我！」

傑克斯盯著肯的眼睛。「我接到一通電話說我需要盡快來到這裡。在我這麼做的時候，我看到你因為我在這裡，看起來相當慌張，而那位女士死了。你認為我看到會怎麼想？」

「像是陰謀陷害！」

傑克斯就像沒聽見一樣地繼續。「而且我一直在想別的事情。」

「什麼？」

「那邊的桌子翻了。翻覆了，一切都砸爛了。」肯看著他先前進來，看到佛羅倫斯吊在空中時撞翻的一桌子香水瓶。「那怎麼樣？」

「那是我們所謂的『掙扎跡象』。讓我非常懷疑。」他的食指指向肯的胸口。「你要到局裡來。」

「我不要。」肯很憤怒，而且也很擔憂。他無法否認這看起來像什麼樣。

「那麼我就要根據這個嫌疑逮捕你。」

「什麼嫌疑？」

「你知道是什麼嫌疑。」

其他警官們站傑克斯後面，警覺的目光盯著肯。有一個——他可能二十歲，也許二十五歲——站上前來，看起來像是想製造一個好印象。他抓住了肯的手臂。肯把他甩掉。那警察立刻站上前，腳趾頂著腳趾，肯的血液頓時熱起來。「你最好退後，警官。」他低吼道。

「不然怎樣？」他把肯往後推，刺激他還手。

「我說了——」

「不然怎樣？」而他打算再來一次。

現在肯的血液已經沸騰了，所以當警察的胸口往前挺的時候，肯的右拳從他髖部直接出擊，畫出弧線打在那警員的下巴上，把他打到跪下來。他跳起來要抓住肯的脖子，但在事情能變得更糟糕以前，傑克斯跳進來把他們硬是分開。

「別動手，」警探同時警告他們兩個。「你們兩個都別做害我必須寫報告的事情。」

肯有一秒鐘想要奔向他背後敞開的門。毫無疑問，兩宗謀殺會帶來法庭命令的死刑。他可以衝到馬路對面進入樹林躲藏。但接下來怎麼辦？在灌木叢裡過完他的人生嗎？不，現在他必須玩這個遊戲。

「好吧。就這樣吧。」他嘟噥。他們把一副手銬銬上他手腕，把他拉走。他被帶走時看著蔻若蘭的臉。她看起來像是第一次見到他。

在運囚車抵達時，他被推進去，坐在一張用螺絲固定在側邊的金屬長椅上。有一片鋼鐵牆，把司機跟他被鎖進去的後方車廂隔開。「看牢他。」傑克斯這樣命令開車的警員。

「有那些手銬跑不遠的。」那警官回答。先前想打一架的年輕警察跳進前座。

「盯著他就是了。」然後傑克斯上了自己的車去開路。

隨著引擎的哀鳴，他們全都開上路了。一個嵌板滑開來，年輕警察的臉出現了。「喂，你以前有沒有搭過囚犯雲霄飛車啊[34]？」他竊笑著問道。他沒有等回應。「希望你喜歡。」嵌板滑回原位，而在一秒之內，肯就感覺到貨車往右甩，橫跨整條路，讓他的肩膀首當其衝，撞向車子的另一邊。沒有任何東西可以抓握好讓他穩住自己，動向立刻就反過來，貨車轉回第一線道。地板似乎從他身體下方脫離了，而他往後跌，後腦勺撞上了鋼鐵長椅。他痛得幾乎昏過去。一秒之內，貨車再度擺盪，他的顴骨撞到一只金屬手銬，雖然他幾乎沒注意到這點，因為這時他們彈跳著經過路上的一個洞，把他抬到半空中，再重摔到在地板上。司機毫無預警地踩了煞車，把肯射向分隔牆。他感覺他鼻子裡有某樣東西崩毀了，而在他癱倒的時候，某種溫暖的東西正朝著他的下巴流去。貨車再度前進的時候，他聽到來自前座的笑聲。

笑吧，男孩們，他暗想。有一天我會把你們找出來，自己帶你們坐一趟雲霄飛車。

到最後，汽油煙霧跟憤怒的車流聲響告訴他，他們在城市裡了。每個聲音都可能是一記警鐘，而他認真看待這些聲音。他是無辜的，但他不會是第一個落入監獄墳墓中的清白之人。他弓著背靠坐在貨車的一側，他的臉被打裂了。

這似乎很瘋狂。才幾週以前，他過著夢幻生活：在有聲電影裡演出；跟好友們一起搭遊艇。現在他的臉仍然會點亮全國的銀幕，但那會是在一個新聞影片裡，這時他被綁在一張椅子上，等著致命的煙霧淹沒他。

去他的。他拒絕爬進自憐情緒中。有人會為這些罪行負責，絕對不會是他。

34 原文是rough ride，這是指刻意不讓上銬的囚犯繫安全帶，還讓車程顛簸不平，以至於囚犯會在車裡被甩來甩去。

第十八章

在警局裡，傑克斯停下來看肯瘀血的臉頰，然後瞥了一眼那兩個把他帶進來的警察。他看起來並不高興。肯讓指尖沾上墨汁，在紙張上滾過，記錄指紋。接著他被帶到後面去，進入一個除了一張桌子跟四張椅子之外什麼都沒有的房間，所有桌椅都閂死在地板上。傑克斯站著俯視他，雙手合抱在胸前。

「我要律師。」肯說道。

「有人告訴我他要律師的時候，我都認為他做了某種需要律師的事情。」

「說得好，不過我還是要見律師。」

傑克斯把他的指節靠向桌子。「如果你是清白的，你會想要把一切都盡快講出來，越快越好。」

「我要見律師。」他說得很慢，慢到讓最笨的警察都懂，而傑克斯看起來一點都不笨。

那警探低聲咒罵便離開了。有一個小時，肯坐著，或者到處踱步。他沒事可做，只能思考。有人刻意陷害他嗎？給傑克斯的電話肯定指向那個方向。有可能是一個路人或鄰居聽到尖叫之類的聲音從屋裡傳出，然後報了警，但他們會留下他們的名字。

到最後，傑克斯帶著一個深色皮膚的人進了房間，一個襯衫上有食物污漬，手上的帆布包裡塞滿成捆紙張的胖子。「你的律師，」傑克斯說：「現在你跟他有兩分鐘，然後我就會回來跟你談。」

他一關上門，這個男人，介紹自己是文森佐．卡斯提利那，用機關槍似的語速說話。「別告訴我你有做或沒有。我不在乎。我是你的律師，我會盡我所能把你弄出去。」

「我沒有做。」肯告訴他。

「你剛剛打破了第一條規則。從現在起，你照我說的話做。懂嗎？」

「好吧。」

「警察幹的？」他指向肯破裂的臉。「算是。兩個警察跟一部十噸重的運囚車。」

「懂。囚犯雲霄飛車。你對此毫無辦法。」卡斯提利那繼續說下去，幾乎沒多吸一口氣：「警方告訴我他們有什麼。可能不足以起訴，但首先我們要挺過訊問。別擔心，有我在這裡他們不會來硬的。」

「他們常這樣嗎？」

「來硬的？當然了。通常是對付癮君子跟娘娘腔。黑鬼，現在他們碰到的待遇最糟。你，你不會有事啦。健全的白人男孩。所以——」

傑克斯重新進來時他就閉緊嘴巴了。「談夠了？很好。」他在桌子另一頭坐下。「肯，你為何那麼做？她做了什麼？」

「接受法律建議以後，我的客戶會行使他在憲法第五條修正案下的緘默權，」卡斯提利那很權威地說道。「他沒犯任何罪。」

「那是真的嗎，肯？」

「接受法律建議以後，我的客戶會行使他在憲法第五條修正案下的緘默權。」

「你可以為自己說話吧，不能嗎？」

「接受法律建議以後，我的客戶會行使他在憲法第五條修正案下的緘默權。」

顯然這堵石牆是律師最喜歡的策略，而且可能讓他撐過了一百次這樣的偵訊。而下一個小時裡，這句話出現一次又一次。在某個時間點，另一名警官進來，交給傑克斯一張字條。

「我們跟圖克州長談過了，」傑克斯仔細讀過字條之後說道，他完全沒展現出掛在他對面那些臉龐上的疲憊之情。「他說他幾乎不認識你。不過你花了很多時間在他的家人身邊打轉。」

「接受法律建議以後，我的客戶會行使他在憲法第五條修正案下的緘默權。」就連卡斯提利那的聲音在不斷重複同一句話之後，都顯示出壓力沉重的跡象。

傑克斯摺起那張字條，把它放進自己口袋裡。「你跟他兒子。你們之間有點什麼，是嗎？你跟他？你們兩個有爭執？那個媽媽呢？你在她身上下功夫？反正都是一家人？她在你眼裡很好上手？」

在那番鬼話之後，肯崩潰了。

「聽著，警探，」他衝口而出：「我跟奧立佛或者佛羅倫斯．圖克的死毫無關係。」

「什麼都不要說。」卡斯提利那命令他。

肯忽略他。「在某個地方有某個人，陷害我做了這件事。」

卡斯提利那雙手一攤，傑克斯送上致命一擊。「當然。你說你發現她的時候為什麼不叫救護車？你只是坐在那裡看。」

「我打算要，但蔻若蘭回家了。然後你出現了。」

「是啊，你沒預期到那個，是吧？真有趣，你幾乎不認識這家人，然後突然間你就發現他們有兩個人死了。只有你在那裡，沒別人。」傑克斯說道，他的聲音帶著低沉的威脅。

「根本不有趣。」

「而我們在這裡閒扯的時候，你想要告訴我圖克先生發生什麼事嗎？已故的那位？」肯一直希望有機會測試一個想法；這不是他原本想像的狀況，不過這樣也行。

「好吧，我會，」他說：「事實是，我認為他當晚有安排某件事，一場會談。如果那個人來到屋裡，蔻若蘭跟我會聽到他進來，所以奧立佛必須跟他在外面會合。而他必定在某種程度上信任這個男人，否則他就不會帶他到寫作塔去。」

「當然了。全都是某種暗殺圖克先生計畫的一部分，受害者還一路配合。」

「不，我不認為計畫就是那樣。」

「你為何不跟我說明一下？」

「因為如果事情就是那樣，凶手不會用比較不戲劇化的方式動手嗎？把他敲昏，同時他們人在塔裡，把他從旁邊推下去，讓事情看起來像是意外。所以不是的，我不認為事情本來要那樣結束的。我的猜測是，某種談判失敗了。」

「談判。」傑克斯的語調只差一點就是徹底的嘲弄。

「就是類似的事情。然後另一個人搭船回來並且離開了。汽艇是在海灘上——我猜如果奧立佛沒把它綁好，它是可能漂到那裡，但海潮比較有可能把它帶到海岸更往南的地方。」

「是喔？」

「是啊。」

「你是個水手啊？」

「不是。」

「那你怎麼會知道海潮會怎樣？」

「我不是白癡。而當我們在講運輸的時候，還有另一件事。」

「當然有了。」

「我今晚去那棟房子的時候，我搭了計程車。司機可以告訴你，我到那裡的時間比你早幾分鐘——就幾分鐘。沒有足夠時間做你懷疑我做的任何事。去找他。」

「我們也許會找，也許不會。」

他們的胸口劇烈起伏，就好像他們真的在打架。

卡斯提利那插進來。「警探，你有任何證據把庫里安先生連結到兩宗犯罪的任何一件嗎？實際的證據，不是憑空猜測？」

「憑空猜測，啊？」傑克斯踱步到房間的側邊，交叉著他的手臂。「現在嗎？不。」

「在這種情況下——」

「但我們有足夠證據拘留你，同時我們會去察看。」

「他是什麼意思？」肯問卡斯提利那。

那律師看起來很不快。「你要關他？」他斜眼瞄著肯臉頰上的瘀傷。

「洛杉磯最好的旅館。不收費。而且你知道嗎，肯？在我們確實找到證據的時候，你會進毒氣室。」

他的話語具備提出預測的那種信心。

傑克斯猛敲門，一位羈押警官就把肯帶走了。

他被帶出去，經過前方的辦公室，那裡有一場酒吧鬥毆帶進來的一支吵鬧醉鬼大軍，深入了警局的深處。地板聞起來有漂白劑氣味，就好像他們一天必須消毒五次似的。這裡沒有自然光；光線全都來自一排包在鐵絲網裡的燈泡，而就連它們看起來都狀況不佳。時不時就會有一隻兜圈子的蚊蚋決定挑戰，在一顆燈泡上著陸，然後被油炸。

警官帶著他穿過一道門，肯發現自己在一個明亮到讓他眼睛痛的房間裡。他花了一秒鐘才領悟到，至少有一打檯燈全都直接照向他。他不知道是誰的手推著他進入一間牢房，他跌在一張木頭長椅上，椅子上方蓋著一條散發人體穢物惡臭的髒污白床單。

有三間牢房沿著大房間的一側一字排開，他處於居中的一間；他看到有一打警察盯著他看，像禿鷹一樣完全靜止不動。其中一人，一個大塊頭又有茂密鬢角鬍的男人，張口打算說話。

「你去了沒人要你去的地方。」這警察上下打量著欄杆，就好像第一次看到它們似的。「動物就必須關在籠子裡。」肯的鼻子因為某樣東西而開始痛了。在長椅旁邊有個桶子，散發著水溝的惡臭。「我們會盯著你。整個晚上。」說罷他就拿出他的警棍，沿著欄杆劃過去，離開了拘留室。他的腳步聲在走廊上迴盪，逐漸消失無聲，而其他警官一個接著一個回去做他們的文書工作，或者看報，或者剔牙。

暴風雨前的寧靜。他接下來到底該怎麼辦？

「嘿，小男孩，」一個聲音悄聲說道。那話語屬於一名一頭銀髮的老男人，褐色皮膚指出他體內有些印地安血統，這人坐在他左邊牢房裡同樣有污漬的長椅上。「他們真的看你不順眼呢！」他說道，咧著嘴，露出一排黑黑的牙根。他往後靠著他的牢房欄杆，歇斯底里地大笑。其中一個警察注視著，也跟著大笑。

沒有人給他食物或水，他也沒要求任何一樣。他躺在長椅上，試著不要去想蓋在上面的破布本來是做什麼用的。你去了沒人要你去的地方。那個警察是這麼說的。他是在講肯那天晚上在圖克家，或者表示有人不喜歡他從奧立佛死後一直到處探查？

蔻若蘭現在會怎麼做？他會被起訴嗎？他的律師能夠把他保出來嗎？問題有一噸，答案卻沒一個。

時間拉長了。警官的數量減少到只有一個散發出大蒜臭的老人，他到處閒逛，經過牢房欄杆，展現他自己的自由，因為這是他唯一的娛樂。他們所在的地下甚至沒有一台收音機能用，這老傢伙看起來又不像是會享受一本好書的類型。在十點鐘，燈光關上了。一兩小時以後，肯的心思放棄在英格蘭、醫師們、別有玄機的書與船上的男人之間奔馳；睡眠緊緊掌握著他。

他不確定是什麼把他弄醒了。可能是他臉上的氣息，也可能是抓著他手腕跟腳踝的手。更有可能的是環繞著他的喉嚨、切斷他空氣的那隻手臂。

他的整個身體都在抽搐，就像被閃電擊中。但他身上那些男人的重量把他壓制住，把他壓進長椅的木頭上。他睜著眼睛，卻只能看見在他身上移動的黑色形影。他扭動著他的脖子，試著喊出聲，吼出一句咒罵或者呼救，但某種嘗起來有汽油味的潮溼玩意塞住了他的嘴，他的舌頭被悶住了，他頭部側面被一記衝擊輾壓。接著又有一記砸向他的肚子，用的是收緊指節形成的拳頭。他呻吟著，但沒有任何雜音穿過他喉嚨裡的潮溼破布。他盡可能用力掙扎，他猜想這是為了活命，然後設法掙脫出一個拳頭，連上他上方的柔軟組織。有人像被踹的狗一樣哀叫一聲，不過肯的手臂再度被抓住，並且壓在長椅上。

某樣東西蛇一樣地鑽到他脖子周圍，然後收緊。它很粗糙，刮進皮膚裡，咬得越來越緊。一條繩索。

「去了沒人要你去的地方。」寂靜的空氣中，那喃喃自語很響亮。他可以感覺到他脖子旁邊的蛇在擠壓。很快它就會擠壓得太緊，緊得血液都不流通了。這個惡臭的地下室就會是他的棺木。「不過這很快就不重要了。」

他可以感覺到他血管裡的血液在對抗著繩索，脈搏被掐停了。沒有氧氣，他的大腦會變得更遲鈍。黑暗變得更暗。他能做什麼？他失去意識以前只剩下幾口氣。這是他的最後機會。

透過意志力，他讓心思專注。他必須扭轉乾坤。他不能說話，不能逼他們住手，但他可以迷惑他們。所以，從劇烈掙扎，他變得完全癱軟，屏住他的呼吸，癱倒在長椅上，讓他的頭滾向一邊。有一陣暫停，然後抓住他的男人們出現一個變化。

「發生什麼事？」他聽到一個輕盈的聲音說道。「他心臟病發了還是什麼別的？」

在他身上的那些手留在原位——這些警察並不笨——但他們放鬆掌握了。他上方有個謹慎的動作：一塊純黑色在石板灰的背景下移動。他聽到呼吸聲靠得更近了。他可以聞到汗，還有男人氣息裡的陳腐食物氣味。他靠得更近，近到足以聆聽肯的呼吸。而肯用盡全力把身體往上一抽，他的前額用鐵鎚的力道往前直撞進那男人的臉。隨著那個警察踉蹌往後跌，出現一陣痛楚的大吼。「殺了這個……！」他喊道。接著房間裡突然充滿了灼人的亮光，導致他們所有人臉皺成一團。

「夠了。」傑克斯從門口咆哮，他的手從開關那裡落下。

「他剛才——」那警察大喊，同時抱著他的臉，像抱一顆破掉的蛋。

「他剛才啥都沒做，」傑克斯對他下令。而另外那個警察給他的眼神可以殺人。「我說過了，他剛才啥都沒做。」

其他男人嘟噥著，吐口水在地板上，然後撤退了。肯起身，把繩索從他脖子上扯掉。繩子已經被扭成一副絞索。他把它丟到他剛才頭槌的那名警官腳上——那個兩邊留了濃密鬢角的大塊頭。

「是啊，好吧，」那警察說。「沒關係。不是現在就是下次。」他大搖大擺走出牢房，其他人也跟上。他們去了他們的位子然後坐下，注視著他，就好像那只是另一天的工作而已。

「你可以出去了，」傑克斯告訴肯。他的頭往走廊一抽。「可是你會回來的。我們沒找到你那個計程車司機，而某種感覺告訴我，我們找不到的。」肯使勁讓自己站起來。被勒脖子讓他暈頭轉向，要走路很費勁。在他經過傑克斯身邊的時候，那名警探再度開口。「你做了什麼，告訴我真相，不然也許下次我就不會在這裡了。」肯搖搖頭。乞求任何理解根本沒有意義。

在他抵達走廊的時候，他聽到其中一個警察喊道：「你想提告嗎？」其他人哄堂大笑。警察們腐敗、懶惰，通常很笨。他知道這點。但在他踏到外面時，他沒辦法理解這個事實：他們一整個小隊都準備好要殺他了。告發他們有任何意義嗎？沒有。要是對高層提出申訴，肯只會確保自己在他們的狙殺名單中排名上升。

不，他最好的賭注，會是了結他開始的事情。某人放出獵狗來捕殺他。他必須找出是誰握著狗鍊。

等到肯回到寄宿處的時候，就跟血液被抽乾了差不多。警察們先前決定把他的皮夾內容物收進他們的退休基金裡，所以他必須一路用走的，躋身於把洛杉磯夜晚當成遊戲時間的酒鬼與真正的罪犯之間。他就只想躺下來睡覺，甚至可能不會脫衣服。在走廊上，他的房東太太，妝容完整還塗了口紅，就像現在才剛入夜而非凌晨時分，她截住了他。音樂從她的公寓裡傳出，而門口剛好可以看見一個男人坐著的腿。

「庫里安先生。你看起來像是隨時會倒在地板上。」她說道。

「我過了很辛苦的一天，佩許夫人。」幸運的是燈光夠暗，足以隱藏他的瘀傷。它們正要變成真正的桃子色，而他不希望自己必須加以解釋。

「你一直長時間工作。或者你或許找到了一位小朋友？」她眼裡閃閃發光。

唔，讓她留著她的小小幻想吧。

「太努力工作了。」

「喔，那真可惜。」她回到她房間去，他則爬上樓梯。每一階似乎都比上一階更陡峭。在他就快要把他的房間鑰匙插進鎖孔時，他停下來了。他認為他聽到裡面有聲音。某個東西在吱嘎作響的地板上移動。他更仔細聆聽。現在什麼都沒有。他試了門把，門把轉動了，但門是鎖上的，它理應如此。他放鬆下來，把鑰匙插進去，正打算轉動它，卻又再度停止。這次的聲響不可能聽錯：是木質的，一種滑動的聲響。他猛然把門打開，掃視整個房間。它就像他離開時那樣整潔，但窗戶是開的。他衝過去往外看。起初他什麼都沒看見，只看到周圍的建築物與屋頂，被街燈跟屋裡的燈光照亮。然後他直直往下看。就在他的窗戶下面，這棟房子有個小小的加蓋建築，是佩許夫人用來儲存損壞家具、一箱箱冬季衣物與類似物品的地方。而蹲在上面，把自己塞進一個隱蔽角落裡的，是一個男人的身影，被街燈照亮了。他穿著輕便，還戴著一頂毛氈鴨舌帽，帽舌遮住了他的五官。但接著他剛好往上一瞥，暴露出一張平凡到異乎尋常的臉——就好像他是特別被培養成這樣，好讓人沒有辦法對警方的素描專家描述他。

一看到肯，他就匆忙跑到建築物邊緣，往下落到地面，接著衝上大街。

有那麼一瞬間，肯想過要從窗口跳下去追他，但從這個高度跳，他很有可能摔斷腳踝或者自己的脖子，而他沒有心情送那傢伙這麼大的人情。他反而衝下樓梯。

「庫里安先生，發生……」他慌張的房東太太，在他衝過她身邊的時候說道。他狂奔到街上，朝著四面八方張望。

那裡！在街道另一邊，一個穿著淡灰色軋別丁[35]西裝的男人走得很快，但沒有在跑。沒戴帽子，他很有可能把帽子扔到一邊去了。「嘿！」肯大喊。他跑了過去。那男人也開始跑了，跑進高聳建築物之間的一條長巷。肯在他後面衝刺，心臟比一個替軍團打鼓的男孩跳得更快。

巷子裡充滿了垃圾，還有一窩老鼠在他跳過牠們的時候吱吱尖叫。他在追的男人速度很快，這點可以確定，但這男人沒跑到巷子另一頭，反而鑽進一棟腐朽處比剩餘木料還多的廢棄木造建築物門口。

35 軋別丁（Garbardine）是博柏利（Burberry）品牌創辦人湯瑪斯・博柏利（Thomas Burberry，一八三五—一九二六）在一八七九年開發出來的布料，靠著特殊斜紋織法與綿羊油達成防水效果，最初都是羊毛與棉混紡，後來也出現其他材質（純棉、人造纖維等）。

肯到達入口，停了下來。那傢伙可能有武器——這年頭在洛杉磯買槍的人比買糖果的人還多——而且看來四下無人。可是現在戰鬥已經來到他家了，所以他不會退縮，或希望一切都會消失不見。

他小心翼翼地踏入。這是一棟很大的建築物——它曾經是某種倉庫或工廠。在他進入的時候，玻璃碎片在他腳下碎裂。所有窗戶都骯髒或破損，從中過濾進來的是街燈最黯淡的光線。房間一側有某台笨重龐大的機器，用一條被單蓋著，而在另一頭有個空蕩蕩的出入口，看起來像是通往一處樓梯間。

肯停下來聆聽。有某種聲音，可能是風穿過一棟破落建築物，或者是一個喘氣男人的呼吸聲。他往裡走，前進時腳步只發出輕微的觸地聲響。這裡必定至少有一條別的出路可以離開建築物，而他想要困住他的老鼠。他走向房間盡頭的門口，但在他快要抵達的時候，他停了下來。一個輕微的窸窣聲抓住他的注意力，就像是布料的移動。他望向被蓋住的機器。慢慢地，他走回機器那邊。它有七或八平方碼，還有兩碼高。披在它上面的骯髒床單在不同地方有破損。肯從地板上撿起一顆石頭，本地男孩就用這樣的石頭來砸破某些窗戶。它可以充當武器。

他的獵物藏在機器裡面嗎？肯握住床單，動手一拉。它不肯下來。在他抬頭看的時候，某樣東西朝他這裡掉落，遮住了天花板。它落下時用一個沉重的金屬工具揮向他，砸進他的太陽穴，把他打倒在地，使他整個人躺下。灼人的痛楚把他釘在地上。在痛楚平息到足夠程度，讓他可以忍受抬頭的時候，只能看著那個人影迅速跑掉。

他可以踉蹌起身，但他根本不在能追逐的狀態。他往後躺回砸碎的玻璃上，讓一波波疼痛回來洗刷著他。

他心中閃過要向傑克斯報告這一切的念頭，但這名警探會相信他嗎？一秒都不會。

他回到房間裡，拉下百葉窗，等了幾分鐘，確定沒有人等著要衝進來，才伸手到他的床架下面。他把某樣東西用繩索綁在中間的橫木上，現在他把它拉出來了。那是個小小的、卵形的陶瓷物體，嵌了細緻的珍珠線條：他在雷島的房子裡找到的，裝著佛羅倫斯手繪袖珍畫的盒子。他小心翼翼打開那個蛋形物件，展露出裡面的兩幅圖像：艾塞克斯的房子，加州的房子，彼此頭尾相對。

藝術家很有天分。肯把它翻轉過來，好讓兩棟房子上下互換。但隨著它的轉動，他聽到了某種他先前沒注意到的聲音：一個輕微的喀喀響聲，像是指甲敲著一塊薄薄的木頭。他再度旋轉它，那聲音又出現了。其中一幅畫後面有某樣東西。

用一把湯匙的邊緣，他細心地把加州房子的畫從它的外罩中抬起。那裡沒有東西。他對另一邊做了一樣的事。這次在雷島房屋的圖畫脫落時，裡面有某樣東西。那是一匹馬的迷你模型，用木頭刻出來的，只有半吋長。一個孩子可能會有的那種東西，是幼兒動物玩具的一部分。在那匹馬周圍包著一條薄薄的紙。肯把它攤開：

奧立佛，我的哥哥。祝你安眠。

亞歷山大

亞歷山大。他寫下這張紙條。

錯不了的是，那個筆跡整潔而微微傾斜。那不是四歲小孩在一張紙上拖拉出來的那種潦草字跡。是一個成人寫下這張字條。

肯用他的食指跟拇指拿著那隻小模型馬，把它舉高對著電燈。木頭是紅棕色的，還有一絲微弱的成熟蘋果香。奧立佛書裡講到一匹小馬的部分是什麼？他從行李箱中抓出他的那一本。對，一匹小馬的苦難被終結，西緬看到了屍骸。

「一出生就跛腳。這樣對牠最好。」肯恩告訴他。

肯瞪著那個袖珍畫像很久。在它的陰影中，就是關於奧立佛為何而死的真相。肯開始看到它了。

第十九章

肯吃早餐的時候，收音機在背景裡播放，在大聲播報樂團歌曲名稱與警告嚴峻氣候將至之間切換。在海外幾哩處形成的熱帶風暴，預期會在今晚來襲。沒有人知道會有多糟，不過每小時的氣象預報都在說它變得更強勁、更惡劣。有房子的人應該在他們的窗戶上加裝防風百葉窗，孩童應該留在室內，成人應該只在絕對必要的時候離家。那不會是很受歡迎的做法。

他吃完他的果醬吐司，思索著他辭掉了（呃，算是吧）工作的事實。他不會想念那份工作，不過他很後悔失去使用報社舊檔案的管道。他想再看一次他先前拿到的報導，圍繞著圖克家發生的家庭悲劇。不，他需要讀那些報導。

所以在他清理乾淨以後，他前往辦公室，同時留意有沒有任何真正跟他共事過的人，可能會質疑他出現在這棟建築物裡。他運氣夠好，能夠進入大樓並且下樓到圖書室，卻沒有瞥見任何人，或者說是被任何人瞥見。

「你先前給我一些關於一九一五年一宗綁架案的剪報。」他這樣告訴一個戴著綠色遮光罩[36]

36 綠色遮光罩（green dealer's visor，另外一種說法是green eyeshade）看起來就像無頂遮陽帽，只是前面那一塊帽簷是綠色透明塑膠，十九世紀末到二十世紀中，公認需要大量用眼的職業（發牌莊家、會計師、電報報務員、文字編輯等）會戴這種帽子兼眼罩，用前面的綠色遮光片來減少眼睛的緊繃疲勞。

的營養不良男子。

「你來這裡抱怨的？」他所在的桌子前面是一排又一排的書架，每個書架都塞滿了大箱子。「我們人手短缺，沒辦法什麼都送過去。你想要其他報紙的剪報，你就得把需求講明白，然後等著。」

這個訊息讓肯很高興。「你是說可能在其他報紙上還有更多嗎？」

「當然。我們有《檢驗報》、《新聞界》跟《快報》的過刊。」

「你可以替我弄來那些嗎？」

「什麼啊，它們全部？」

「那有可能嗎？只要一九一五年的。不，也包括一六年的吧。」

「聽著，我有其他工作要做，你知道的。」

「好吧，我自己來做。」

戴著綠色遮光罩的男人手指朝著那些架子一抽。「儘管做。」

光要找到正確的那一卷就花了肯很長的時間。《新聞界》跟《檢驗報》提供的細節沒比《洛杉磯時報》來得多。不過《快報》真的很厲害。它派了一名記者去跟任何與這則故事有關的人談話，無一遺漏，而且一找到藉口就回頭報導此事。有個名字，深埋在它的其中一篇報導裡，是肯認得的。它在一九一六年的那批文章裡，在這一家人已經從歐洲回來以後。那裡有張照片是他們推著輪椅裡的奧立佛，朝著一個他也認得的辦公室去。

悲劇性的圖克家族終於有某些好消息。在他弟弟悲慘的綁架事件引起震驚之後，有人看見小奧立佛．圖克被帶到協會醫師阿尼．克里格（記者拼錯了他的名字，不過他們在寫誰是很明顯的。）的外科診所。克里格是兒童疾病專家。他的一位員工告訴《快報》，這個小男孩的小兒麻痺在他待在歐洲期間有顯著改善，他可能很快就能走路了，儘管會有一些困難。我們《快報》全體祈求他能如此！

肯納悶地想，是哪個護士或者櫃檯接待員收到了幾張皺巴巴的鈔票，交換了那則訊息。他收工回家，去搞清楚那則故事的意義。他留給蔻若蘭一則訊息，請她回電給他。他們需要談談。

風暴當晚來襲。

雨幕沿著街道射擊，把樹木甩到牆上，砸穿窗玻璃。任何困在路上的人，那些錯過收音機訊息跟報紙警告的人，縮在店鋪門口，尋找一條出路。在他們嘗試對彼此叫喊的時候，聲音幾乎無法被傳遞出去。

肯站在他房間裡。他的房東太太在屋子裡到處跑，分發木板放置到窗戶內側，免得它們碎裂——現在要把木板釘在外面已經太遲了。在電力被切斷的時候，肯磕磕絆絆地走到樓梯平台上，找到一根蠟燭。

他正決定怎麼樣才能最有效地擋住洪水的時候，一陣狂亂的敲門聲響起，有人正試著轉動門把，對抗門閂。「哪位？」他喊道。他沒在等任何人，在上次的不速之客以後，他全面戒備。

「蔻若蘭。」回答來了。

他把門閂往後拉。惡劣天氣讓她衣服溼透，而他注視著水從她皮膚上成行留下。她的世故氣息消失了，留下一種自然的美。

「進來。」

「不。你必須離開。現在就走。」

他起了警覺心。他經歷過夠多事，知道他周遭的威脅不會懈怠。「為什麼？」

「警方。傑克斯打電話給我。他們有個證人看見你跟我母親抵達房子。他們問我是否能解釋這件事。」

「這是謊言。」他怒吼道。他把她拉進來，把他們倆關在屋裡。「我早該看出會發生這類的事情。」

「我知道這是謊言。但他們告訴我別的事情。」

「什麼？

「他們找到一把刀，屋裡有一把有固定鎖的童軍刀。他們說被踢到家具底下了。裡面有白色纖維，看起來像是從用來……殺了她的那根繩索上切下來的。」

「好，嗯……」他正要說那把刀不是他的。但他突然想起某件事。他到裝著他所有物的行李箱裡，在裡面尋找。

「你在找什麼？」

他坐回床上。現在那人闖進他房間裡有很合理的原因了。

「我本來有一把像那樣的刀子。吃飯的時候用。那把刀被拿走了。」一抹懷疑的陰影溜過蔻若蘭的臉。「省省吧。我知道這樣看起來像什麼。昨晚有些警察企圖殺我。」

「什麼？」就算有其他一切發生過的事情，她聽起來還是很驚愕。

「也許他們只是因為我昨天打警察所以想嚇我。我不知道。無論如何，他們在警局裡把我按住，還把一個絞索套在我脖子上。那不是很好玩。」他摩挲著他的喉嚨。「有可能他們是聽命於某個人。」

「每個人都聽命於某個人。」她暫停了一下。「你的指紋會在刀子上嗎？」

「會有滿滿的指紋。」

「我們必須走了。現在。我開了奧立佛的車。」

他抓了一件雨衣，匆促跟著她出去，盡全力不要讓其他住客留下印象，他們正站在防風燈周圍，滿手都是木板。佩許夫人，拿著一堆被浸溼的床具，在樓梯上截住他。

「庫里安先生，你絕對不可能在這種天氣出去。」她告訴他。

「我別無選擇。」

她挑起一邊眉毛，盯著蔻若蘭。「我懂了。唔，你今晚回來的時候門會上鎖。如果你今晚回來的話。」

「我理解。」

他們硬是走進激流之中。現在水直接落下，大量冰凍的水從淹沒洛杉磯的黑雲中傾倒下來。到處的電力都中斷了，唯一的光線來自煤氣街燈與一道道閃電。

「電力斷了。」蔻若蘭喊道。

「電線一定斷了。出了這種事，整個城市的電力網就會短路。」他喊回去。「車在哪裡？」

她指向街道另一邊。凱迪拉克在一家烈酒店前面怠速運轉。她在沿著馬路流動的河裡失足，他在她跌倒的時候及時抓住她。

他們把自己關進車裡，這時一根樹幹飛越馬路，其他碎屑接踵而至：一份報紙、某些包裝紙、一塊從沒說服任何人買下嬌生牙粉的告示板。

蔻若蘭發動引擎。一定是因為她剛剛開的這段路，它還是暖的，雖然澆透它全身的水威脅著要攻占它。

他伸手到口袋裡，抽出那個陶瓷做的袖珍畫外盒。「妳記得從艾塞克斯的房子裡拿來的這個東西嗎？」

「當然。我母親的畫。天知道奧立佛為什麼想把它留在那個廢墟裡。天知道究竟為什麼會有任何人想去那裡。」

肯打開了它，把描繪荒涼雷島房屋的畫拿起來。那匹小馬躺著窩在畫後面。他把它拿出來，到有光的地方。「我想跟這個有點關係。我昨晚找到它。起初，我以為它是一匹馬。」

「它不是嗎？」

「不完全是，這是一匹小馬。」他沒有給她看那張捲在模型旁邊的紙。那紙條上寫著：

奧立佛，我的哥哥。祝你安眠。

亞歷山大

「那麼差別在於？」

「奧立佛的書。書裡有一匹小馬。那匹小馬死了。我完全忘了這回事，直到我找到這個才想起來。在讀那個故事的時候，這件事似乎很微不足道，所以我直到現在才領悟到它真正的意義。奧立佛很聰明。他的書裡有很多細微的訊息。但某些訊息太過細微，只有那些訊息針對的對象才會理解。」

「告訴我這一個訊息。」蔻若蘭說道。

「我們需要先知道別的事情，但我們明天會發現的。至於現在，我們必須避人耳目。」

他們停在街上。甲烷街燈意味著他們可以在路上找到他們的方向，但柏油路上六吋深的水，讓他們慢了下來。他們經過關了門且在顫抖著的餐館與店鋪，只走了幾條街，蔻若蘭就開始回頭察看後方。

「怎麼了？」他問道。他已經大致知道怎麼了。

「今晚大概只有三輛車在路上，」她回答：「我想我們後面的那輛，先前停在你的寄宿處外面。」

他扭過身去，看到一輛英國賽車綠[37]的迪索托轎車[38]。可以肯定的是，有人想幹掉他。很有

---

37 英國賽車綠（racing green）是一種近似苔蘚綠的綠色；一九〇三年愛爾蘭仍由英國直接統治，而且道路沒有速限規定，所以英國在愛爾蘭舉辦戈登·班奈特盃賽車國際賽，當時英國選手都把車子漆上愛爾蘭的代表色綠色，後來這個傳統一直延續下來。

38 迪索托（DeSoto）是克萊斯勒公司的一個副品牌，一九二八年開張，一九六一年結束。

可能不是警察，就是先前穿軋別丁西裝造訪過他的大眾臉男子。「妳確定嗎？」

「不。」但肯密切監視著那輛車，又過了兩條街，直到最後蔻若蘭突然在最後一秒急轉彎，讓厚厚一波髒水灑遍人行道，而那輛車完全沒嘗試跟上。它是被甩掉了，還是他們想像出一個不存在的威脅，他分辨不出來。「所以，我們繼續逃亡。」她說道。

「聽著。不管他們是誰，他們追的是我，不是妳。我可以離開這裡。我會找到自己的路。這樣妳會比較安全。」

她轉動方向盤，踩了踏板。「我很懷疑。」

他們開下去，被風力衝擊著。圍牆柱子被舉到空中，然後往下砸向地面。停泊的車在車輪上抖動著，沒有遮蔽的窗戶炸成碎片。「我們應該找個地方停下來，」他說：「下個路口右轉。那邊有些便宜旅館。」

「好極了。」她回答。

他們右轉，繼續經過幾個街區，找到一排廉價旅館，它們的名字承諾了種種金碧輝煌：國王旅館、香格里拉、精益套房，然而它們連假裝提供得起都沒辦法。在正常狀況下全部的燈都會亮起，但電力網中斷，讓它們看起來像是墓地。

他們停進一間有提供停車場的，是狹窄的磚造建築，旁邊有一道沒完工的防火梯。他們甚至不清楚這間旅館仍在營業還是已經關閉，他們決定碰運氣。

在櫃檯後方，有個男人睡在一張床墊上，他的金屬框眼鏡還架在鼻子上，全靠一盞煤油燈保持微弱的照明。肯猛拍呼喚鈴，而那個夜班職員，身上都是強烈的廉價酸醪威士忌氣味，發出一聲抱怨起了床。

「每晚一塊五十分。熱水要加價。這邊簽名。」他嘟噥著說。「有車嗎？」

「沒有。」職員可能會自覺有責任要出門去看一眼車牌號碼。

「好。先付現。」

肯交出了錢。這男人要不是沒注意，就是不在乎他們沒有行李。他交給他們一盞骯髒的燈，他們則爬上陡峭的樓梯，到他們房間去。

那是個十呎見方的火災陷阱。床鋪上面鋪開了兩張床單，加起來大概只剛好能蓋住床。

「你怎麼想，肯？」

水一直從她頭髮上流下，細緻的水珠落在地板上。燈焰點亮了她的眼睛，所以他看到房間反映在那雙眼裡；而他大步跨過去，什麼都不管了，他拉著她的肩膀，好讓她的嘴朝上迎向他的，而他把他們的嘴唇重重壓在一起。她溫暖而順從；直到最後她後退遠離他，用她的袖子擦著她的嘴。

「我很抱歉。」他說。

「不必，」她低聲回應。「如果換個時刻，就會是——」

「我知道。我知道會是怎麼樣。」

「我猜我就是不走運的類型。」

「我猜我們兩個都是。」他說道，往外瞪著黑暗。

就在他要漂入夢鄉的時候，肯聽到一個新的聲音從接待櫃檯傳來。

「哈囉，米克。」

「你也哈囉。」是那個夜班職員的聲音。

「我們接到一通電話。在找一對男女。二十來歲。聽起來很有錢。可能有開車。過去幾小時裡有任何人抵達嗎？」肯坐起身，警覺起來。

「過去幾小時？過去幾小時我一直在睡。」

「這樣嗎？」

「當然是。」

有一陣停頓。「是啊，唔，如果他們出現就喊一下。」

「有酬金嗎？」

「酬金？當然有酬金。酬金是我們不會讓你關店。」

聲音變小了。然後樓梯吱嘎作響。有人上來了。肯跳起身來。窗戶外面釘了橫條，所以他必須出手抵抗。腳步聲停在房間外面。肯屏住呼吸，做好警察破門而入的準備。不過是那個職員的聲音。

「他媽的滾出這裡。我沒看到你們。」在他回到自己崗位的時候，樓梯再度吱嘎作響。

肯再度穿上他的夾克。他們交還了鑰匙，跑向車子，開著它出去，穿過本來是洛杉磯的骯髒河流。他們找到一塊全無照明的空地停了幾個小時，在後座發著抖等待。職員留下了他們的錢。

第二十章

風隆隆滾動一整晚，早晨來臨不代表減輕。熱帶風暴的厚實雲層——根據汽車收音機裡一位亢奮新聞播報員的說法，現在有變成颶風的危險——意味著整座城市被一種暗灰色包圍，還被溪流般的雨抽打。早晨過半時天色如薄暮微明，少數幾輛在外面的車靠著車頭燈光勉強移動，它們看起來就像來自地獄的昆蟲。深沉混濁的泥水在馬路上奔流。肯把車停在某個定點，讓他可以看見他們的目標。

「我們要等多久？」蔻若蘭問道。

「直到他抵達這裡。」

她點燃一支納特．雪曼。煙一靠近車窗頂端的縫隙，強風就把它揮開。為了取暖，他們不假思索地彼此靠近。這狀況是不可能看到太陽的，他們只能靠自己的腕錶判斷，它必定在他們上方。

「他在那裡。」肯指著擋風玻璃外，它現在因為雨水沖刷下來而模糊不清。她點點頭。這一晚的疲憊表露在她臉上了。

肯從車上下來，等著路另一側的男人替他的辦公室開門。然後肯跑了過去，衝進門口，把他撞進裡面的寬闊走廊，在他後面用力把門甩上。

「你在幹——」

肯用他的拳頭阻止了那些話。這位醫生在痛楚中尖叫，往後倒向牆壁，用他的手握著他扭曲的嘴。

「不准出聲，」肯警告他。克魯格舉起一隻手掌表示服從。「我想知道圖克家的事。」

「我……我能告訴你什麼？」

「那個母親。她兒子被帶走以後她的心理狀況是什麼樣？」

那醫生結巴了，起初沒辦法形成字句。「我不是心智疾病的專家。」

「那他媽的冒險亂猜一下吧。」他再度揚起拳頭。

「好啦！」克魯格懇求道。「她心煩意亂。當然。她兒子沒了。」

「她被罪惡感啃噬，醫生。而你知道為什麼。你知道她做了什麼。」

「我不知道。我不知道。」他抗議道。

肯抓住克魯格的襯衫，用他的拳頭扭著它，把那男人釘在牆上。「還有那些男孩。他們是什麼樣的？」

換了個新話題，克魯格似乎鬆了口氣。「他們……亞歷山大很健康。奧立佛展現出嚴重的小兒麻痺症。」

「他的預後如何？」

「這重要嗎？」這男人喊道。

「回答問題。」

克魯格雙手一攤，第二次表示服從，然後做出一個讓人印象深刻的表演：一個男人盡其所能回憶起二十五年前的事實。「可能是終生殘障了。」

「那你推薦怎麼治療？」這男人緊張地眨眼。這就是一切的關鍵，這就是先前一切出錯的地方：對奧立佛、對亞歷山大、對蔻若蘭、對肯而言。而他寧願讓克魯格再也無法呼吸，也不願讓他吞掉真相。「現在告訴我，否則我就用十種不同方式折斷你的脖子。」

幾分鐘後，肯從建築物裡現身。他走向街道盡頭的一個電話亭，他在那裡打了通電話。傑克斯接了，肯告訴他一個故事。

「奧立佛的書，」肯回到凱迪拉克裡的時候說道。「如果妳仔細看，一切都在裡面。」

「什麼在裡面？」

「每件事情。」

「我們要去哪裡？」

「回到妳的房子。」

他發動引擎，開進河流般的道路上。在車輪攪動著水的時候，一陣波浪爆開來，衝擊著車的側邊。這個城市正在被淹沒，一切都籠罩在煤氣街燈的淡琥珀色燈光下。

「我們後方有輛車。」她低聲說道，她的聲音在雨中幾乎要消失了。

「同一輛？」

「對。」

他瞥一眼後照鏡。他可以分辨出一輛英國賽車綠迪索托。這一次，有足夠光線可以看到一個握著方向盤的男人。他包著一條圍巾，肯知道他是誰。「我還以為他走了，」他咕噥道。

「嗯，我們就來看看他車開得如何。」

他猛踩油門，車子往前跳，打滑著前進。

「他跟著我們來了，」蔻若蘭說道，同時轉頭注視著另一輛車。肯猛打方向盤，繞過一個轉角，讓凱迪拉克外側輪胎從地面浮起幾吋，又再度猛然墜下，一陣震波傳遍了全車。凱迪拉克有個比迪索托更強勁的引擎，讓兩輛車迅速拉開距離。不過天候狀況意味著它無法絕塵而去，而迪索托開始一步步追上了。「他想要什麼？」她問道。

「我們。」

那輛綠車找到一股蓄積起來的加速能力，突然間怒吼著往前衝，而它的前擋泥板砍向凱迪拉克的後方，在肯有辦法把車子轉正以前，就讓這輛車歪向一整片水面。

「這是幹嘛？」蔻若蘭問道。

「他在嘗試把我們撞下路面。」

後面那輛車再度加速，撞上他們的車。只是這次兩片擋泥板彼此鎖死，把兩輛車扭曲成一具笨重的機器。肯把油門踩了又放，但凱迪拉克正拖著一個沉重的負擔。他左轉、右轉，嘗試把它甩脫，這樣沒用。現在他們來到一個十字路口。

肯在學騎馬時學到，當你要轉彎的時候，你得靠向那個彎，並把你的鞋跟踢進馬的脅腹，這樣馬就會更用力推進。如果你不這麼做，你就很可能會被甩下來。對於汽車也是一樣。轉角要求加速，而在他抵達交叉點的時候，把油門踩到底。引擎尖叫著，但後面的車子仍然拖住了他們。他再度踩油門，力道重得足以讓踏板穿過地板。然後，在最後一秒，他把方向盤打向右方，讓車子在極小的空間裡轉了彎。

砰的一聲巨響，還有鋼鐵撕裂的聲音，凱迪拉克向前猛衝。指針往上跳到超過五十，而肯一轉頭就看到另一輛車旋轉著遠去，被轉彎的扭力與凱迪拉克的怒火給甩脫了。它往旁邊打滑，橫越潮溼的柏油路，到了寬廣的十字路口，直接面對來車。那些來車尖叫著停下來，指向各種瘋狂的方向，那輛迪索托還在打滑。接著，它的兩邊左輪同時撞上對面的路邊石，整輛車往上暴衝，跳進空中一碼高，撞上一盞街燈，讓它像棵樹苗一樣折成兩半，掉回人行道上側躺著。

肯把腳從油門上提起，用力踩下煞車。輪胎吱吱作響磨著路面，在街上又滑了大約二十碼才停下來。他跳出車外，打開車尾行李箱，從修補工具箱裡拿出一支沉重的扳手。他舉著扳手，跑向那輛撞毀的迪索托。二十碼，十五碼，十碼。他花了好幾秒鐘跑這段路。而在他靠近的時候，他透過原本有擋風玻璃的一片虛空看著那個司機。他臉上有血，有一會肯根本不知道他活著還是死了。斷裂的街燈在噴著煤氣，讓空氣中充滿腐敗食物似的臭味。

這男人癱軟的軀體橫跨兩個座位。「你是誰？」肯吼道，扯開了那條圍巾。血淋淋的嘴唇沉無力，嘗試要形成字句，然後又無言地閉上。「告訴我！」他舉起他的扳手，要是問題沒得到答案，就要威脅帶來更多痛楚。

男人的眼睛一點點瞇起。他朝著肯這裡往前伸手，推著車門。門已經半開了，它的底部被衝擊扯開，所以那金屬變成了扭曲的刺。它沒辦法正常打開，而其中一條鋼鐵絲帶刮擦到另一條，發出一聲哀鳴。駕駛用上他全身體重再試了一次，而隨著那兩條金屬彼此摩擦，一顆小火星飛了上來，在車子的遮擋下，不受天氣影響。

肯扔下扳手往後退。他可以看出危險不在於那名駕駛，而在於即將發生的事。火星再爆了一次，而事情確實發生了。空氣中的煤氣被點燃，當車子在五碼外被火球吞噬時，肯趴倒在地。就算太陽從天空墜落，都不可能燃燒得比它更明亮了。衝出的沸騰空氣像另一道強風，而在他抬頭的時候，他看到一陣從街燈裡噴射出來的火焰，在黑色的風暴裡升起十呎高。

他的頭往後倒回馬路上。車裡的男人現在不構成威脅了。他感覺到溫暖的血。他臉上開了一道很深的割傷。有好一會，感覺就好像整個世界自己崩潰了。他能做的就只有發出吵雜的呼吸聲。

「先生，您還好嗎？」

這是個女人，按著她頭上的一頂帽子。「你有沒有被……那個……」她尋找著一個適當的說法，來描述她剛剛目睹的事情。

「沒有，」他輕聲說道，同時感覺他的肺發出喘鳴的聲音。「我沒有。」

他用他的袖子擦過他的臉，抹去上面的灰。他拖著身體回到車上。蔻若蘭從車裡出來，整個人震驚不已。「他就是殺死奧立佛跟媽媽的人嗎？」

「可能是。」

「他企圖殺我們嗎？」

「現在其實不重要了。」

第二十一章

車子滑過沙鐘屋的鐵門。透過建築物，可以看見海上的風暴。

女僕卡門為他們開門，立刻很不自在地縮了起來，他們跟她上一次的談話，揭露過深藏著的祕密。

「我父親在哪裡？」

「在圖書室，小姐。不過他正在接受電台訪問。而且……」

他們忽略警告上了樓。圖克州長坐在一張紅色天鵝絨飛翼扶手椅上，麥克風與錄音設備都在他面前架好了。有位年輕主持人，他有自己的麥克風。

「……ＫＱＷ[39]跟共和黨總統提名人中的領先者，奧立佛．圖克州長對談。州長，我們周遭的風暴吹得正厲害，但美國眼前有著偉大的未來。您覺得呢，先生？」

「唔，威烈特先生，我會這麼說。而且那是因為——」

「父親，我們需要跟你說話。」蔻若蘭直盯著他的眼睛，沒有動搖也沒有眨眼。

39　ＫＱＷ是真實存在的廣播電台，在一九二一年十二月初在聖荷西開台，是當時第一批廣播電台之一，後來搬到舊金山，在一九四九年代號改為ＫＣＢＳ。

「我親愛的，我正在跟——」

「這跟奧立佛有關。還有亞歷斯。」

圖克注視著她，就好像她是隻毒蠍。

電台的人開口了。「先生，我們可以——」

「我想我女兒跟我需要談談。」

主持人看起來對這個情況很不高興，但接收到給他的暗示，還是離開了房間。

蔻若蘭走向窗口，從她皮包裡拿出一包菸，點燃最後一隻，然後瞪著外面。州長望著肯。

他們走過的是一趟遍體鱗傷的悲哀旅程。肯跟一位朋友一起上路，但那位朋友的生命卻從他身上被偷走了。而這一切都起於一個男孩單純、常見的不幸。

他坐在廣播主持人的位子上。

「我們有個很困難的對話要進行，庫里安先生。不是嗎？」

「是的。」

「唔，這是醞釀了一陣，不過該來的總是要來。你想喝一杯嗎？」

「一杯酒？不，不，謝謝你，州長。」

「我知道現在還很早。但我想我可能需要一杯。」他走向一個大地球儀，舉起上半部，露出裡面閃閃發亮的酒瓶。他拿出兩瓶，把它們放在邊桌上，卻沒開任何一瓶。他不確定。像這個樣子肯定讓他很不安。而他一個杯子都沒拿就回到他的座位上。

要從哪開始呢？

肯選擇從那個故事開始。

「我讀了奧立佛寫的最後一本書。那是個奇怪的玩意。真的很獨特。」

「我兒子是個令人失望的——」

肯打斷他：「你兒子很聰明，他就是那樣。他的書需要一些拆解。」

「那就指點我吧。」奧立佛．圖克州長說道，那股不悅回來了。他瞥向他女兒，而她迎向他的凝視。

「我會的。它的核心，是一個關於身分的故事。關乎同時身為兩個人，不知道自己是誰。而且講到一匹跛腳小馬在馬廄裡被處死。」那些細節本來應該會告訴他所有事情，但真相這樣異乎尋常，誰會想像得到？肯停頓了一下，眺望著窗外。艾塞克斯的雨似乎從玻璃上流下來了。他再也等不下去，開口問道：「你為什麼這麼做？」

「我為什麼做了什麼？」圖克的下巴僵在那裡。蔻若蘭香菸上的煙升起，在書籍之間飄蕩。那嚴厲的話語，那譴責，似乎不是在房間裡成形，而是在外頭，在擊打個不停的雨中。

「圖克先生，我已經經歷過很多事。今天我再也不在乎了。你讓一個男人殺死你罹患小兒麻痺症而癱瘓的長子，然後扶養你的另一個兒子來取代他的位置，這二十五年來讓全世界相信他就是你的長子。為什麼？」

圖克回到那張放著酒瓶架的桌前。他選了一瓶威士忌，把一半的稻草色內容物潑進兩個水晶平底酒杯裡。他拿一杯給肯，肯拒絕了。

「喔好吧，」較年長的男人說著，把其中一個玻璃杯放到一旁。「時間到。」他落進那張飛翼扶手椅裡，喝了大大的一口，足夠讓大多數男人瞬間就醉了。「為什麼，為什麼，為什麼。」他用枯瘦的中指指向肯。「唔，你知道一件事嗎？時代在改變，這就是為什麼。以前一個男人會被他的同儕選為總統——知道什麼對這個國家最好的其他聰明男人。能讀、能寫、能思考的男人，理解貿易跟法律、理解一個男人該有什麼權利的男人。但現在這改變了。」他相信他在說的話，這點很清楚。他是個全心全意相信的男人。「現在投票權已經擴大到所有可以在選票上畫個十字的男男女女身上，用來投給在新聞影片裡看起來最上相、在電台講話最漂亮的任何人。他不是靠著頭腦或能力被選擇的，先生，他是被選上的角色，就像你那麼急切想要出現在裡面的其中一部電影。而對一個國家來說，這是很危險的狀態。」

「是嗎？」

「喔，是的，就是這樣。」圖克幾乎笑出來。現在他滔滔不絕。「但我代表某種事物。我代表為了國民的集體利益而改善這個國家。」他的雙手交扣在一起，以此闡明社會的團結。「而一個國家就是它的人民；所以我們需讓人民本身變得更強壯。更優秀的心智與身體。」肯想像著克魯格進入美國優生學學會總部的樣子。那棟建築物裡充滿了想法類似圖克州長的人，受到遠在德國發生的事件鼓勵，公開呼籲他們所相信的事情。「而我不會做個偽君子。不，我不會。所以我必須身體力行我宣揚的道理。」他又喝了另外一大口。

「所以呢？」

「所以呢。」他有一會迷失在自己的思緒裡。「所以呢，我讓人把我親愛的男孩帶走，我讓我的幼子取代他的位置跟他的名字。」這是所有辯白之中最苦澀的。它在空中懸浮了一會，肯可以聽到它的迴音。「就像亞伯拉罕，我犧牲了我兒子。而且沒錯，亞歷山大很快就相信他是奧立佛了。他四歲大——在那個年紀，你相信任何事情都是見鬼地快。他很快就忘記我們曾經用任何別的名字叫過他。」他大口痛飲他的酒。「也許在他內心深處，總是有一半的記憶，我不知道。」

風暴連續打擊著四壁，提供了房間裡唯一的聲音。直到蔻若蘭開口為止。肯可以看到她身上的恨意變得冰冷。「父親，你總是這麼確信你是對的。在道德上。就好像它從你的毛孔裡滿溢出來了。」她走向酒桌，拿了那杯沒人要的威士忌。她沒看他們任何一人，就喝掉了一半。

「是克魯格把他帶走的嗎？」肯問道。

「這是對他最仁慈的事。」

「天殺的你怎麼會那樣認為？」這對肯來說似乎是不可能的，他們坐在這裡討論一個小男孩的死，圖克卻講得好像這不過是個不愉快的責任。

「殘廢的人生不是人生。」他讓玻璃杯在他的手指間滾動。「你想試試看嗎，讓另一個人推著你到處去？替你著裝？帶你去浴室？看著你弟弟在你無法涉足的運動場上奔馳？」

看起來，他仍舊相信他說出的每一個字。

「那媽媽呢？」

圖克瞥向蔻若蘭。「當然，她不想要這樣。需要一些非常、非常嚴厲的說服。」

「這讓她瘋掉了。」

「我盡可能為她做到最好了。把她安置在某個會好好照顧她的地方。只要我可以就去探望她。」而這是第一次，肯聽到最微弱的一點羞恥語調。州長把酒杯舉到他唇邊，接著又把它放到桌上。不過杯子沒放好，翻倒了。他沒嘗試把它扶正。

「基督啊。」蔻若蘭低聲說道。

「為什麼要那樣欺瞞？」肯說道。

「你是什麼意思？」

要問這個讓他覺得噁心，就好像州長的行動中技術性的部分才重要，而不是結果。「在克魯格把他帶走的時候，你為何假裝被綁架的是你的小兒子？為什麼不直說失蹤的是有小兒麻痺的長子？」

風速增強了。雨噴濺在窗戶上，動搖著它，威脅著要直接衝進來。

「你告訴我啊，庫里安先生。」

他權衡這個問題好幾小時了。只有一個答案符合。「我想是因為你對優生學的看法廣為人知。如果你殘障的兒子在奇怪的情況下消失，嫌疑就會落在你頭上。就算不可能被證明，那也會結束你的政治生涯。但用這種方式……用這種方式，你實際上得到了同情。」州長沒有回答。肯痛恨知道他是對的。而這就是為什麼，他的朋友奧立佛說自己心懷罪惡感：因為他的生命，就是他哥哥之死的一部分。「不過等你看到奧立佛的書，一切都改變了。你讀了那本書，然後領悟到他已經找到你妻子，把一切都想通了。不是嗎？」

圖克頓了一下才說話。「實際上，你在這裡沒完全講對。」他說道。

「我沒有嗎？」

「不盡然。儘管你這麼聰明，你還是看漏了一兩處細微的地方。」

「什麼樣的細微之處？」

州長輕蔑地哼了一聲。「我兒子。他是我最後的希望，一個延續我們血脈的男人，而他沒有比他往來的那些娘娘腔好。」他看向他的側邊，就好像要尋找一個解釋，說明他自己的孩子怎麼會到頭來變成這樣令人尷尬的存在。「然後，在他知道他所知的事情以後，他鼓起他擁有的全部勇氣來面對我，他做了什麼呢?他做得太過火了。他太高估自己了。」

「你天殺的在說什麼?」

圖克打量著肯，就好像在品評一隻動物。「庫里安先生，我在說的是，我的軟腳蝦兒子在威脅我。」

「怎麼威脅?」

州長蒼白的手伸向他的書桌抽屜。木頭哀鳴一聲脫離了裝著它的外殼。圖克對著肯舉起一本《沙鐘》，然後把它扔到一邊去，就好像它是一種疾病似的。「他說這是後續發展的開胃菜。在我要角逐白宮位置的時候，他會去找警方說出全部的故事。」隨著怒火提高了他的聲音，他的食指前後戳著。「他以為他會看到我戴上手銬。現在!就在我即將拯救這個國家，不必對一個令人欽佩的友好國家進行毀滅性戰爭的時候。我不容許那種事情發生。」

雨從玻璃窗片上沖洗下來。「所以你派人去恐嚇他保持安靜，但事情失控了，也許他反擊了，而他到頭來死了。」州長把手伸向翻倒的杯子，但他的指尖讓杯子從桌子邊緣滾落，掉到地上，碎成了一百片。「你派去的人是誰?」肯問道。

「這重要嗎?」怒火已經消退了。

「可能不重要。我想我們昨晚遇見過他了。」

「然後呢?」

「你不會再見到他了。」

「我懂了。」圖克注視著破碎的威士忌杯。「他的家人總是為我們工作。他祖母甚至出現在奧立佛書裡。那個管家。他們一直都很忠心，而我讓他們保持這樣。」他似乎起了一個念頭。「這其實不重要，不過你對克魯格做了什麼？」一陣突然爆發的風動搖了窗戶；窗戶一角出現一個蛛網狀的裂痕，雨正在滲透進來。

「我打電話給一個我認識的警察了。」肯通知他。

「他們要來這裡嗎？」

「對。」

州長疲倦地嘆息，就好像他已經保持清醒好幾個月。角落裡一個時鐘，進入了新的一分鐘。

蔻若蘭說話了。「如果祖父早知道你會做出什麼事，會早早把你溺死。」

「喔是嗎，小姐？」圖克苦澀地說道。「喔，另外有件事，妳是不會相信的。妳知道我所做的事情，其實是誰在背後主使嗎？」

「告訴我。」

「就是妳祖父本人。」

肯很吃驚。「西緬？」他說道。

「你看，我知道奧立佛寫到了我們家族上世紀的小陰謀，」圖克繼續說道：「不過請妳自問：他是從哪裡聽來那個故事？當然，全都是從我爸那裡聽到的。而妳認為那個男人對於真正發生的事，講的都是神的真理嗎？喔不是的。我對此有我的懷疑。妳讀過那故事。妳相信它嗎？那女人像獨行俠似地跑遍整個倫敦，而那個老人把他所有的俗世家當，都留給一個他幾乎沒見過的男孩？那沒有讓妳覺得故事扭曲變形了嗎？喔不。不，小姐。我父親需要錢做他的霍亂研究，而弄到錢的辦法就這樣從天而降。只要用天知道什麼東西治療幾天，繼承權就落到他手裡了。有誰能質疑他講的歷史？」

肯的心靈天翻地覆。那本書，還有其中所有的巧妙託辭，對他來說一直是真相的寶庫。但它真的是嗎？也許有另外一層謊言要鑽透。

圖克很冷靜地繼續往下說。「所以你明白了，庫里安先生，我父親先於我在那棟房子裡做的事情，向我示範了我必須在那裡做些什麼，來追隨他的典範。因為好人會做正確的事，無論其他人會怎麼說。就像我父親，也像亞伯拉罕。」

有一會，肯注視著他。這男人眼睛後方有一道光，正開始閃動著變暗。肯開口了。「亞伯拉罕沒有做到底。」

「請再說一次？」

他迎向州長的目光。「他沒有做到底。上主的天使下凡阻止了他。以撒活下來了。這只是一個測試。對信仰的測試。」

有一輛汽車引擎的模糊聲音。它停在外面。

圖克的手指彎進他的掌心裡。「喔，先生，對《聖經》來說那很好。但在這裡的塵世，」他往前傾，強調他的論點：「一個男人的手會比較血腥。」

肯不在乎這個男人薄弱廉價的驕傲。這沒有任何意義。「你知道嗎，我想我直到剛剛才理解這個故事在講什麼，理解奧立佛寫下它的方式。」他說道。現在房子裡的某處有動靜。聲音在破裂的窗戶之間迴盪；大理石上的腳步聲更近了。「這不是只關於你，或者你兒子，甚至是你父親。這其實是關乎過去有它自己的意志：去平反的意志。去報復的意志，我猜。過去永遠想要平反。」奧立佛那本書的書頁，躺在冰冷的地板上，在微風中輕輕地抖動。「所以你可以把它埋在磚塊裡、石頭裡，或者藏在泥巴之下；但在你那麼做的時候，你只是給它時間，州長。」

他注視著那個裂痕之網，如今已經擴散到整片玻璃上了。現在讓它全部倒下吧，他心想。

（完）

【ECHO】MO0089

沙鐘屋1939

作　　者❖蓋若斯．魯本 Gareth Rubin
譯　　者❖吳妍儀
封面設計❖張　巖
內頁排版❖HAMI
總 編 輯❖郭寶秀
編　　輯❖江品萱
行銷企劃❖力宏勳

事業群總經理❖謝至平
發 行 人❖何飛鵬
出　　版❖馬可孛羅文化
台北市南港區昆陽街16號4樓
電話：(886)2-25000888
發　　行❖英屬蓋曼群島商家庭傳媒股份有限公司城邦分公司
台北市南港區昆陽街16號8樓
客服服務專線：(886)2-25007718；25007719
24小時傳眞專線：(886)2-25001990；25001991
服務時間：週一至週五9:00～12:00；13:00～17:00
劃撥帳號：19863813　戶名：書虫股份有限公司
讀者服務信箱：service@readingclub.com.tw
香港發行所城邦（香港）出版集團有限公司
香港九龍土瓜灣土瓜灣道86號順聯工業大廈6樓A室
電話：(852)25086231　傳眞：(852)25789337
E-mail：hkcite@biznetvigator.com
馬新發行所城邦（馬新）出版集團【Cite (M) Sdn. Bhd.(458372U)】
41, Jalan Radin Anum, Bandar Baru Seri Petaling,
57000 Kuala Lumpur, Malaysia
電話：(603)90563833　傳眞：(603)90576622
E-mail：services@cite.my
輸出印刷❖前進彩藝股份有限公司
初版一刷❖2025年05月
定　　價❖660元（兩冊不分售）
定　　價❖462元（電子書，兩冊不分售）

國家圖書館出版品預行編目(CIP)資料

沙鐘屋1939 / 蓋若斯．魯本（Gareth Rubin）著；吳妍儀譯. -- 初版. -- 臺北市：馬可孛羅文化出版：英屬蓋曼群島商家庭傳媒股份有限公司城邦分公司發行, 2025.05
面；　公分. --（Echo ; MO0089）
譯自：The turnglass
ISBN 978-626-7520-81-9（平裝）

873.57　　114003651

ISBN：978-626-7520-81-9（平裝）
EISBN：978-626-7520-85-7 (EPUB)

城邦讀書花園
www.cite.com.tw